适合自己的活法，就是最好的活法。

让你受益一生的自我疗愈心理学

做自己的心理医生

墨 羽◎著

中国商业出版社

图书在版编目（CIP）数据

做自己的心理医生 / 墨羽著 . -- 北京：中国商业出版社, 2018.5（2023.9重印）
ISBN 978-7-5208-0213-0

Ⅰ . ①做… Ⅱ . ①墨… Ⅲ . ①心理保健—通俗读物
Ⅳ . ①R161.1-49

中国版本图书馆 CIP 数据核字（2018）第 019621 号

责任编辑：朱丽丽

中国商业出版社出版发行
（www.zgsycb.com 100053 北京广安门内报国寺1号）
总编室：010-63180647 编辑室：010-63033100
发行部：010-83120835 / 8286
新华书店经销
三河市宏顺兴印刷有限公司印刷
*
710毫米 × 1000毫米 16开 16.5印张 200 千字
2018年5月第1版 2023年9月第10次印刷
定价：39.80元
* * * *
（如有印装质量问题可更换）

序言

让你受益一生的心理自愈力

越来越快的生活节奏，越来越大的工作压力，越来越浮躁的心理状态……身处21世纪这样一个时代，我们是幸福的一代，国家和平安宁，人们衣食无忧，生活富足；但与此同时，我们又是焦虑的一代，翻天覆地的社会变迁让我们内心充满了“不安全感”。

“现在知识的更新速度实在是太快了，尤其是互联网，几个月就有一项新技术诞生，除了承担繁重的工作，还必须不停地学习，否则随时都会落伍……”

“眼看着身边的人越来越富裕，换了大房子，换了好车，日子是越过越好了，一比较，自己真是无言以对，压力好大啊……”

“在哪里工作？一个月赚多少钱？有对象了吗？买房了吗……虽然七大姑八大姨都是为了我好，可天天面对这么多人的‘盘问’，好烦好烦，感觉随时都要爆发……”

“心情不好，昨天又和家人吵架了，明明不是多大点事，怎么就是说不通呢，天天吵，月月吵，这日子可怎么过呀……”

“天天忙于工作，一到周末或休息时间，只想一个人宅在家里不出门、不见人，可时间一长，怎么突然发现自己出门参加社交活动都有点心虚了呢？这不会就是传说中的社交恐惧症吧……”

“孩子在幼儿园一刻也坐不住，简直像凳子上有钉子一样，总是动来动去，好担心是不是多动症啊……”

……

据相关数据显示：中国有高达70%的人处在亚健康状态。简单来说，也就是这70%的人通常没有器官、组织、功能上的病症和缺陷，但是自我感觉不适、疲劳乏力、反应迟钝、活力降低、适应力下降，经常处在焦虑、烦乱、无聊、无助的状态中，感觉活得很累。

这明显是一种心理亚健康状态，这些问题无法依靠药品、医疗手段来解决，但如果放任不管又存在极大的健康隐患，可能会引发抑郁症、社交恐惧症、人格障碍，甚至自杀等问题，还可能会因情绪郁结造成抵抗力下降，罹患身体上的慢性疾病等。

那么，面对心理亚健康状态难道就没有什么有效的解决办法吗？有，去看心理医生，让专业的心理工作者为我们打开心结、调整状态、梳理情绪。寻求心理医生的帮助是一个简单、有效、直接的方法。遗憾的是，目前绝大多数中国人，非常抗拒去看心理医生。除非问题严重到了一定程度，否则根本不会主动走进心理诊所。

为什么大家如此抗拒去看心理医生呢？其原因主要有以下几点。

一是心理医生在我国是一个十分新潮的职业，出现时间短，且时至今日依然不被广大人民群众广泛接受和理解，大家对心理医生的接受度不高，有了心理问题自然也不会想到去看心理医生。

二是“讳疾忌医”观念比较牢固，人们普遍认为只有神经病或精神病才会去看心理医生，这就使得一部分人即便想去看心理医生，但迫于被大家当成“神经病或精神病”的舆论压力，也会选择放弃。

三是人们对于心理疾病的了解和对心理健康的认识不够。初期的抑郁、焦虑、失眠、歇斯底里等，很多人对此都不以为然，不认为会导致重大健康风险，甚至引发自伤、自杀等。所以部分比较偏激的人群，甚至粗暴地认为心理医生和骗子无异，谈谈话、聊聊天怎么可能会治病。

可以预见，在未来相当长的一段时间内，人们排斥去看心理医生的状况很难彻底改变，但在实际生活当中，很多人压力大、焦虑等又非常需要维护心理健康。不用着急，人的心理本身具有一定的弹性，拥有神奇的自愈力，只要我们能够掌握一定的方法、技巧，及时排解情绪和心理上的垃圾，激发出我们内心深处的自愈力，每个人都能成为自己的心理医生。

也正是因为如此，我们编写了这本《做自己的心理医生》，希望能够给广大处于心理亚健康状态的人提供一定的自助式服务，免于罹患心理疾病，维护好自身的心理健康。值得注意的是，本书并非专业的心理治疗书籍，如果已经患有较严重的心理疾病，建议及时寻求专业心理医生或专业心理咨询师的帮助，以免贻误病情，造成更严重的后果。

目录

生活就像是一面镜子，你对它笑，它便对你笑；你对它哭，它便也对着你哭。一个成熟的人，会握住自己快乐的钥匙。生活质量的高与低，完全取决于我们的人生态度，只要我们保持积极向上、乐观的心态，便可以化悲痛为祥和，生活便可以是快乐的。

在纷繁芜杂的世界中历练一股强大的内心力量，做内心强大的自己！不是优秀了才强大，而是强大了才优秀。一个内心强大的人，无论遭遇别人怎样的嘲讽，遇到多大的困难，都不会被轻易打倒。内心强大的人的精神达到了一定的境界，甚至让人们折服。他们意志坚定，不论遇到多大的诱惑或挫折都能淡定处之，依然固守着内心那分信念。

正确认识自己，在自卑中发现力量。自卑是一个偶然事件的结果。你终究会发现，这其实是一场误会，没你想得那么严重。你和理想之间，只差一个自卑的距离。超越自卑，人生因此而不同。

面对人生得与失、沉与浮，心情别太沉重，保持一颗平常心，自然容易多一分洒脱，活出真实的自我。人的一生中兴衰荣辱，得失进退，谁也不能掌控，别给自己施加压力，唯保持淡泊的心态才可以在人生的大起大落中免受伤害。其实，淡泊是在遭受挫折时仍有与花相悦的从容，淡泊是别人都忙于趋本逐利时仍然保持恬静。所以，唯有平淡的生活才是最惬意的，也是最真实的。人生几十年不过如此，为何不让自己轻松快乐一些呢？

一个人忍耐力越强，心理素质就越好，成功的概率也就越大。我们千万不能让自己因为微不足道的小事而扰乱了心智，用耐心培养自己，磨炼自己，提升个人情商。学会乐观，学会幽默，学会营造快乐，学会轻松生活，吃得下，睡得香，想得开，远离忧愁、悲伤和烦恼，别让自己的本性受到损害，这样才会收获有意义的人生。

人生的道路上，无论我们有多好的条件，失意的事情总是不可避免的。假如你经常因为烦心事而困扰，建议你静下心来，在笔记本上端端正正地写上“不要紧”三个大字，它可提醒你一切即将过去，新的一页随即翻开。

负面情绪总是有的，它是一种人生常态，与性格、能力、收入没有关系。这些情绪如果不及时排解，会对身心健康造成负面影响。出于本能的自我保护，我们都盼望有一个合理的出口，能把各种负面情绪释放出来。

不幸常常发生在瞬间，让人措手不及。面对不尽如人意的剧情，还需秉承“不以物喜，不以己悲”的精神，淡定地接受眼前的一切。如果能用乐观的心境应对身边的人和事，心中就会有喜悦。更重要的是，世事轮回变幻无常，今天还是阴雨绵绵，明天就可能阳光普照，何必让坏心情扰乱生活的安宁呢！

淡定是心灵的修炼，是人生的境界和智慧。对于一个人来说，只有淡定平静，才能够真正地享受到人生的真滋味；只有拥有淡定安详的心态，才能在粗茶淡饭中享受天伦之乐；只有具有淡定的心态，才能在喧嚣浮躁的世间保持一分“众人皆醉我独醒”的非凡境界。

人们企图把各种烦恼都提前解决掉，以便将来过得更好、更自在，活得无忧无虑。实际上，很多事是无法提前完成的。过早地为将来担忧，除了于事无补外，只能让自己觉得非常失败。再幸福的人也有烦恼，再不幸的人也有快乐。活在当下，做好自己，让生命更出彩，人生才不会有遗憾。

现代人的通病是总把生活设计得太复杂、太压抑，为此在竞争的高速公路上拼命地你追我赶，结果发现自己得到的远不如失去的多。在复杂的世界里，做一个简单的人。人生真正的美好在于：你有一颗澄明的心。只有让自己内心富有充盈，才能从容抵御世间所有的不安与喧嚣，成就自己美好的人生！

世界如此多变，我们必须学会如何在不安全的世界里寻找安全感。给人生一次精简，在纷扰世界中保持平和的心境。纵然全世界都给你压力，你仍旧可以化成积极的动力，只要你学会定期“倒空”手里的杯子！放空心灵、放松心情。节奏慢下来、心态静下来、压力放下来，你就能感受人生的美妙与惬意。

快节奏的生活，让我们越来越收不住自己的性子，变得越来越急躁。在沉浮间，找寻真我。人生一世，草木一秋，匆忙又短暂。若岁月静好，那就颐养身心；若时光阴暗，那就多些历练，属于你的风景就在峰回路转之间。遇事不急不躁，以平和的心态融入社会，才能真切地感受到生命的真谛。

心理暗示是一种心理现象，有积极暗示和消极暗示之分。在我们心情不好的时候，如果一味地给予自己消极的心理暗示，只会“雪上加霜”，令心情跌落谷底。我们该做的，是给予自己积极的心理暗示，告诉自己：有不良情绪很正常，我一定能克服，终有阴霾尽散的一天。

我们该如何与这个世界相处？生命无常，所以我们更要相信，眼前的一切都是最好的安排。即使深陷绝望的境地，也要寻找希望的光亮，用平和的心态过完这一生。

聪明难，糊涂更难。难得糊涂是一种气度，是大智若愚的处世智慧。它能使人超凡脱俗、胸襟坦荡、气宇轩昂、洒脱不羁、包罗万象。要做到难得糊涂，必须要做到“该糊涂时糊涂，不该糊涂时决不糊涂”。正是难得糊涂的警醒，才能使人们在当今的纷争世界里，以豁达之心笑看风云变幻，潮起潮落。

每个人都是矛盾的统一体，是各种积极与消极的特质彼此调和的结果，无论少了哪一方面都称不上完整。承认和接纳不完美的自己，意味着平等对待自己的每一项特质，既不刻意彰显，也不刻意压抑，做一个真实的自己。用不完美的心，在缺憾的人生中追求完美。

人类是万物灵长，是宇宙精华。每个人不论美丑贫富，都蕴藏着成就最好自我的巨大潜力。一辈子能“折腾”的时间并不多，再不折腾就老了。其实，一直陪着你的是那个了不起的自己。岁月不可回头，真正拼过就是活过。只有够勇敢，才能带给自己前行的勇气。

拿得起，放得下，是一种真正的人生智慧，也是一种豁达的人生态度。人生一世，要学会选择，懂得放下。聪明地舍弃，是对人生回收站的及时清理，丢掉那些毫无价值和意义的包袱，放弃拖累我们的牵绊，我们才可以轻松地走以后的路，人生的旅程才会更加愉快，我们也才能看到沿途更多美好的风景。

世上没人可以陪你走一辈子，请你一定学会和自己好好相处。生活就是这样，你以笑容对它，它还你阳光一片；你对它哭泣,它将阴雨连连。悲观者钻进自己做的苦难之屋中不愿出来，人生将悲叹连连；乐观者在最绝望的时候也能展露笑颜，人生欢乐不断。

人一辈子犯的错，80% 是因为生气。请记住，每个人都有脾气，脾气有好有坏，然而坏脾气对我们的恶劣影响是不言而喻的，如果任其发展，不仅会影响身心健康，还会影响自己的前途。只要脾气好，凡事都会好。如果连自己的情绪都控制不了，乱发脾气，即便给你整个世界，你也早晚会毁掉一切。

说到底，生活本身就是一种心情。幸福并不取决于你拥有什么，你是谁，你在何处，或者你在做什么事。决定你是否幸福的关键，在于你怎么想。幸福从善待自己的心灵开始。一个人在主观上感受到幸福，那么他的人生就是快乐的。即便你一无所有，也依然能够感到快乐、感到满足，你就能不被外界的环境左右，让生活充满乐趣。

第一章

与自我对话，选择想要的人生

生活就像是一面镜子，你对它笑，它便对你笑；你对它哭，它便也对着你哭。一个成熟的人，会握住自己快乐的钥匙。生活质量的高与低，完全取决于我们的人生态度，只要我们保持积极向上、乐观的心态，便可以化悲痛为祥和，生活便可以是快乐的。

1. 你只负责好好做人，上天自有安排

人和人之间没有可比性，每一个人生下来都有自己独特的体貌特征，而且后天受到的教育和社会经历都不一样，所以大家都是独特的。然而生活在群体中，人们会不由自主地与周围的人做比较，比长相、金钱、地位等等。

显然，如果拿自己的短处和别人的长处相比，很容易导致心理失衡，引发焦虑情绪，影响正常的工作和生活。

其实，许多时候与人攀比是毫无意义的，这样做只会扰乱自己的心性，失去分寸感，成为情绪的奴隶。而如果把有限的精力放在如何提升

自我、改变自我上面，相信一定会有令人惊喜的成就。

在英国，有一个关于“攀比先生”大卫的故事，给许多人带来了有益的启示。

邻居盖了一幢别致的三层房屋，美丽的花园、大气的车库、宽敞的卧室令人艳羡。攀比先生大卫看到这一切，心里十分气愤：“哼，难道只有你家有钱盖房子吗？明天我就把房子拆了，然后盖新的！”

第二天，大卫真的把那幢五十年的老房子拆掉，还找来了施工队，让他们盖一幢五层的别墅。并且，他特别强调新房子要比邻居家气派。

施工过程中，大卫异常挑剔，多次提出返工。最后，施工队忍无可忍，生气离开了。然后，大卫又找来其他施工队，但是都没合作成功。结果，新房子没盖起来，老房子也拆掉了，最后大卫只能在邻居的新家旁边搭了一个草棚。

50岁的时候，大卫还没有成家。其实，他年轻的时候有过一段恋爱经历，双方相处得很融洽。那么，为什么大卫后来一直单身呢？原来，镇上一个光棍曾经嘲笑大卫，说他没本事像自己一样单身一辈子。一气之下，大卫竟然赶走了女友，并且声称自己要单身一辈子。从此，再也没有姑娘愿意和他相处了。

大卫只活了60岁，而他去世也是因为与人攀比。当时，一位老人随口说自己比大卫先死。结果，大卫气愤不过，竟然吃安眠药自杀了。据说，他还给那位老人留了一句话：“我终于比你先死了。”

很多人看了大卫的故事会笑，不过这未尝不是生活中你我的写照。凡事过分计较，比工资、比学历、比吃穿，这种攀比令人情绪失衡，变得焦虑不堪。其实，焦虑不是因为生活不够美好，而是因为太看重别人的生活，而失去了自我。

生活中保持一种良好的心绪，不与他人攀比，就会少了焦虑和忧思。

这个世界上本来就没有绝对公平，如果总是怀着一颗攀比心工作、生活，就无法摆脱心理失衡的窘境，平添许多痛苦和无奈。

做最好的自己，不活在别人的影子里，自然会少了患得患失的忧虑。在纷繁复杂的人生里，平平淡淡才是常态，永远活在自己的心境中，就不会被外界打扰。

攀比不可取，静下心来独立思考，不被外界的杂音所干扰，不被他人打乱自己的节奏，生活就会有条不紊，内心就会安定自然。

2. 人生其实有无限种“可能”

许多人抱怨，获取成功是非常困难的一件事。通常，他们遇到一点困难就自暴自弃，甚至觉得自己一无是处。放弃继续努力，而在暂时的挫折上浪费精力，这实在是自讨苦吃。

事实上，不管遇到什么事情，都不要急着去否定自己，不如从自己身上找原因，想办法挖掘出隐藏的潜力和能量。一旦身上成功的潜质得到开发，那么你的人生就会大不同。抛开成功本身不谈，单是你聚精会神奋斗的过程就足以令人满足。

艾伦是一名善良、敏感的女孩，她一直都很羡慕姐姐——弹得一手好钢琴，任凭自己多么努力都无法做到。父母十分疼爱孩子们，专门为姐妹俩请了家庭教师。艾伦在学习上非常用功，而且为了练好琴，她甚至牺牲了许多休息时间。当姐姐去房间里看漫画书偷懒的时候，她依然坚持练习。然而，足够的勤奋有时候也未必就能收到应有的回报，不管艾伦怎样努力，她在钢琴训练方面始终毫无起色。

相比之下，姐姐弹钢琴就很有天赋，虽然艾伦真心为之高兴，但是相比之下仍旧对自己感到失望至极。时间长了，她甚至在潜意识里也认为自己一点音乐天赋都没有。这恰恰是大多数人的通病——根本意识不到“人各有所长”，只要努力发现自己擅长的事情或领域，总能找到属于自己的天地，而不会在灰心绝望中度日如年。

在初中毕业的聚会上，同学们都十分开心地写下临别赠言，艾伦最喜欢的音乐老师也参加了这次活动。就在分别之际，老师特地叫住她，意味深长地说：“艾伦，你不知道自己是一个多么有天赋的孩子，只要挖出那些宝藏，你将会是最棒的那个人。”就是这样简单的一句话，让艾伦感慨颇多。暑假期间，一帮好友组建了一个摇滚乐队，并真诚邀请艾伦参加。尽管她从未接触过摇滚，但还是欣然答应了。

在接下来的日子里，她发现原来自己其实并没有那么差劲。虽然从来没有打过架子鼓，但是她在朋友三言两语的指导下就能表现得很好，甚至最熟识的朋友也称赞她真是个音乐天才。显然，这令艾伦受宠若惊。从前，她始终都在学习钢琴，但无论多么努力都达不到理想效果，那时候她直接判定自己根本就没有音乐细胞。此时看来，当时的那种想法是多么幼稚。

音乐的范围是如此广阔，除了钢琴还有那么多的选择。只要走出原来的直线思维，就能发现一片新天地，找到最棒的那个自己。在钢琴方面没有潜能，为什么不试试其他方面呢？只要心中有目标，就没有什么不可能实现。后来，艾伦在音乐方面彻底放开了拳脚，先后学习了吉他、电子琴等多种乐器，并尝试了多种音乐形式，最终在摇滚和吉他上大获成功，即便是她曾经羡慕的姐姐也对此赞不绝口。

人生总是充满了无限可能，只要走出长久以来惯用的直线思维方式，顿时就会发现世界远比自己想象的更宽广。你既可以为了梦想而朝气蓬勃地奋斗，也可以安安稳稳地生活，还可以在圣经中找到命运的救赎，究竟该怎样生活完全取决于你自己。

改变直线思维方式并不难，最重要的是多观察周围的人和事，并提醒自己该怎么做出改变。对于眼前的事情，不要局限于已经看到的表象，还要想到背后深层的原因，以及其他可能存在的形式。这个世界异常复杂，只有在思想上更深邃一些，才能轻松应对复杂的局面。通常，对看不清的事物一定要多加观察，只有反复从多角度去比对、理解，才能获取更多有价值的信息，减少不必要的束缚。

我们生活在一个多维度的世界，但很多人只看到眼前的东西，这种直线思维会限制大脑潜能的发挥。无法完成的事情并不是因为能力，而是因为根本就没有想着做到最好，只要想到了并付诸实践，就没有什么能够阻挡我们成功。人生有无限种可能，关键是你能否看到多面的世界，并善于做出对的选择。

3. 生命无常，请别辜负好时光

“常”指的是一种常态，长期没有变化。而“无常”提醒人们，变化是绝对的，这个世界上没有固定不变的东西。人的一生，唯一不变的就是变化。

今天不知道明天会发生什么，甚至此刻也无法预计下一秒的状况。即便你做好了准备，计划了许久，生命的轨道也会因为某一个意外而偏离原先预设的方向。

或许昨天你还看到一张鲜活的笑脸，但是今天他就可能陷入伤感的状态。人生充满了偶然性，但是总有一些美好的事情令人振奋、期待。所以，面对那些令人难过的事情和局面，请倍加珍惜眼前的好时光。

菲比是一个小说家，从小就喜欢写作，大学读的也是文学专业。凭借文学方面极高的领悟力和想象力，她年纪轻轻就出版了两部小说，并且非常畅销。然而谁也没有想到，菲比进行体检的时候被查出患上了脑瘤。

起初，菲比单纯地以为这是一个小手术，只要把肿瘤切除就能恢复健康。后来，得知脑瘤的危险性比一般的癌症还要大，她被吓倒了。然而，菲比很快调整好情绪，开始乐观地面对一切。

她积极配合医生进行治疗，做好了承受各种痛苦的准备。化疗的时候，头发几乎都掉光了，这对一个女孩子来说是莫大的打击。但是，菲比看起来非常积极乐观，并没有消极避世。没有了真头发，她就买各种各样的假发，还开心地对大家说，自己终于可以天天换发型了。

生活中，菲比坚持与朋友们聚会、郊游，珍惜每一次与大家相处的机会。当然，她也没有放弃自己的爱好——写小说，还用文字把自己的这段经历记录下来。在日记中，她详细描述了每天发生的事情，并感恩生命给予的爱。

与那些在痛苦中消沉的人不同，菲比没有埋怨上帝为何让自己生病，她享受眼前的每一分、每一秒。她说，如果不是因为脑瘤，她可能不会意识到朋友和家人的重要性，也不会有这么好的题材去写小说。

菲比终究还是离开了这个世界，但是她没有留下遗憾和痛苦。她微笑着与这个世界告别，在家人和朋友的陪伴下度过了余生，给大家留下了一本充满欢乐和力量的小说。

菲比展示出了可贵的乐观精神，并以此影响了身边的朋友。她的文字长久保存下来，给更多人带来思考和启发。人不能沉浸在生命无常的宿命论中，而要感受生命的美好，这是菲比的精神遗产。

生命中不会总是晴空万里，也会有阴云密布的日子。懂得珍惜与感恩的人不会陷入悲伤，他们永远对生活充满信心。

经常会有人抑郁满怀地走在校园里、大街上，常常听到有些失恋的朋友说再也不相信爱情，更多的人则会被忧伤操控，无法打起精神将坏日子过好。

成熟的人不让阴霾阻挡阳光，他们能看到生活中艰辛的一面，也懂得珍惜眼前的每一分每一秒。所谓“忧伤”，不过是消极面对生活的一种感受，认真而努力地活着，感谢每一个或阴或晴的日子，不辜负天赐的好时光，更值得尊重。

生命无常，上帝难免会误伤好人，但是贵在有人懂得珍惜。不知道从什么时候开始，很多东西和以前不一样了，面对这些变化和不如意，有智慧的人选择包容和理解，给悲伤的日子涂抹上欢喜的色调，于是原本脆弱的心也变得强大。

4. 用平和的心态过完一生

患得患失是浮躁的一个重要表现形式，一味地担心得失，对事情斤斤计较，整个人生好像背上了一道沉重的枷锁。

有的人在做事前要反复考虑，而且完事后仍然放心不下，对各个细节都很在乎；而且，一旦有什么差错，非常担心外界的负面评价。他们一直被患得患失的阴影所笼罩，人生中没有一点安宁。

而当他们遭遇挫折的时候，原有的信心、快乐也会突然消散殆尽，甚至怀疑自己的能力，随后开始瞻前顾后。已经发生的事情就不必放在心上了，凡事多一些豁达，自然会更轻松。因为患得患失而处处忧心，这样的生活有什么乐趣呢?

古代欧洲有一个神箭手安德鲁，无论立射还是骑射他都可以百发百中，从不失手。英国国王邀请安德鲁做客，想一睹神技。国王派人在花园中竖立一个兽皮的箭靶，靶心只有眼睛大小。

国王说：“请展示一下你的本领吧！为了让这次表演更加精彩，我来定一个赏罚规则:你有三次射箭机会，如果你射中了，会得到黄金万两;如果射不中，你将丧失以往的名声。现在，请开始吧！”

听了国王的话，安德鲁顿时脸色变得凝重，心中不再那么轻松了。他慢慢抽出一支箭，搭上弓弦摆好姿势，开始瞄准。如果在平时，他根本不用如此小心，随手一箭就可以射中靶心。但是这一箭不同，胜负有明确的赏罚。想到这里，安德鲁心跳加速，甚至拉弓的手也开始微微颤抖。

安德鲁花了很长时间瞄准，几次想把箭射出去，却又收回来继续瞄准。反复多次之后，他终于下定决心射出一箭。结果，箭没有命中靶心，偏离了足有三四寸。顿时，安德鲁心情立刻紧张起来，焦急之下后面两箭竟然也没有射中靶心。

最后，安德鲁满脸羞愧地收起弓箭，失落地与国王告别，离开了王宫。对这个结果，国王也非常失望，但是又心存疑惑，就问大臣："听说他射箭技术高超，百发百中，为什么今天看来这么平常，难道是名不副实吗？"

作为欧洲有名的神箭手，安德鲁在得失面前发挥失常，更何况是一般人呢！避免患得患失的危害，少不了一颗平常心，做到不被外物干扰。能够做到这一点，自然能保持良好的心境，收获积极乐观的情绪。

一生过得怎么样，完全归结为自己。如果没有平和的心，放纵自己的欲望，把个人得失看得比什么都重，那就乱了套，永远没有满足的时刻。

贪念太大，执行力太弱，或者妄图掌控他人和世界，是许多人的通病。他们肆意妄为，失去了平和的心态，让自己的一生有太多悲喜，少了难得的那份安宁。这样的人，心智受到外物的影响，永远没有清净的时刻，保持健康也就成了一种奢望。

第一，别把得失放在心上，学会知足。每个人都会与他人比较，有些人在比较之后心理失衡，产生妒忌心理，陷入患得患失的不良情绪中，扰乱了正常的生活。看淡得失，努力做好自己，自然会发挥正常能力和水平。

第二，做真实的自己。只要能够做真实的自己，走自己的路，就不会为患得患失所困扰。人生的忧愁一直存在，我们不能因为患得患失再给自己平添更多的烦恼。走自己的路，看淡外界的评价，更能多一份坦然。

第三，看轻名与利。人生短暂，名与利就像虚幻的梦境，有时候并不可靠。许多人为了一时的名利放弃内心的真实意愿，到头来得不偿失，只留下深深的遗憾。请牢记，人生最有价值的不是名和利，而是自己的生命与理想。

遇事优柔寡断，无法掌控自己的情绪，就会变得郁郁寡欢。清楚自己需要什么，想得到什么，应该放弃什么，而后努力行动，就容易有所收获。

5. 把忧虑从你的思想中赶走

为什么儿童看起来天真无邪、活泼可爱？因为在他们的思想里没有烦恼、没有忧虑，无论是摆弄玩具还是堆积木，无论是喝牛奶还是喝水，无论是在家还是在外面，他们聚精会神地专注于某一件事，并享受其中，没有心思去考虑其他的事情。而在成人的世界里，好像只有从事科研工作的人能像儿童一样简单生活，他们把时间花费在做实验上，再没有心思去“忧虑”。

一个人整天唉声叹气、愁眉苦脸，又怎么会生活得幸福快乐呢？心情是健康的晴雨表，一个终日忧虑的人又何来快乐可言呢？所以说，赶走忧虑，不光是为了让自己有快乐的心情，也是对自己的健康负责。

在卡耐基的成人教育班上，有一个学生名叫马利安·道格拉斯，他遭遇过两次不幸。第一次，他失去了家里的开心果——年仅五岁的大女儿；第二次，他失去了刚刚来到这个世界才五天的小女儿。接二连三的打击令道格拉斯和妻子备受折磨，两个人无论是身体状态还是精神状态都非常糟糕——吃不下，睡不着，感觉人生惨淡无望。他们想了很多办法希望能走出这种状态，结果发现吃安眠药也好，旅行也好，都无济于事。

最终，帮他们解决问题的是被忽视很久的儿子。一天下午，道格拉斯呆坐在客厅，儿子走上前询问能否为他造一条船。对儿子的这个请求，道格拉斯不感兴趣，却抵不过孩子的纠缠，便动手准备材料做船。整个过程花费了3个小时，其间道格拉斯一心一意地在脑海里构思着步骤，没有再去想那些伤心的事情。直到完工，他才发现这3个小时自己有多放松。

这一刻，道格拉斯恍若初醒，明白了如果自己忙着做一些费脑筋的工作，就很难再有心思去忧虑。帮儿子做船的3个小时，赶走了很久以来萦绕在心头的无尽忧虑，于是他决定以后让自己忙起来。

第二天，道格拉斯便查看了家里的所有房间，把需要修理的家具、门窗、水管、楼梯等逐一列了下来。在随后的两个星期内，他竟然完成了242件需要做的事。从此，他不断给自己安排活动——参加成人教育班，担任校董事主席，协助公益机构组织募捐，紧张忙碌的生活让他再也没有时间忧虑了。

心理学中有一个著名的定理："不论一个人多聪明，都不可能在同一时间内想一件以上的事情。如果你不相信，请靠坐在椅子上闭起双眼，试着同时去想：自由女神和你明天早上准备做的事情。"试着做一下，你会发现这两件事根本无法同时出现，只能轮流想着自由女神或者明天早上要做的事情，一种思路一定会把另一种思路赶出去。

威利·卡瑞尔创造过一个消除忧虑的"万能公式"，不仅操作简单，并且适用于任何人。人之所以会产生忧虑，是因为遇到了尴尬棘手的事情没有办法解决，所以首先要客观地分析自己可能面对的最坏结果，做好心理准备；其次，主动接受这个最坏的结果，不要因为侥幸心理最后蒙受巨大损失；最后，集中精力投入到工作中，尽自己最大的努力来规避可能到来的最坏结果，最大程度上减少损失，或者不受损失。

沉浸在忧虑中的人，缺乏信心，也会严重影响个人能力的发挥。忧虑的人无法掌控自己的情绪，对各种事过于感性，不能理智地对待面前的困难。一个人即便有很强的工作能力，也可能遭遇预料之外的突发状况，如果无法摆脱过度忧虑，势必沉浸在不良情绪中无法自拔，失去走出泥潭的良机。相反，如果坦然面对暂时的困境，反倒可以集中精力去寻求解决忧虑的办法。

上面这个方法就是“万能公式”，它对解除忧虑有实用价值，是不可多得的良方。从心理学角度来看，它能够帮助我们从自怨自艾中跳出来，从而面对现实，慎重思考，脚踏实地，而不是每天在消极状态中沉沦。应用心理学之父威廉·詹姆斯说过：“能接受既定事实，是应对突发灾难的第一步。”如果你连最坏的结果都能接受，还会怕什么呢！

萧伯纳曾说：“让人愁苦的秘诀就是，有空闲时间来想想自己到底快活不快活。”一旦遭遇不开心的事，就暂时别去想它。让自己忙碌起来，你的血液就会加速循环，你的思想也会变得敏锐。让自己一直忙着，是世界上治疗忧虑最便宜的一种药，也是最有效的一种药。

6. 聪明的人允许自己出错

生活中，每当出现错误时，人们通常的反应是：“真是的，又错了，真是倒霉啊！”更有甚者，要么抓住别人的错误不放，要么抓住自己的错误不放，明明是无足轻重的小失误，却要埋怨、纠结、懊悔好几天，导致接下来的事情也做不好。

殊不知，人类即使再聪明也不可能把所有事情都做到完美无缺。聪明的人允许自己犯错误，他们认为，错误的潜在价值对创造性思考有很大的作用。如果想取得成功，就不能回避错误，而是要正视错误，从中吸取经验教训，让错误成为走向成功的垫脚石。

有一次，丹麦物理学家雅各布·博尔不小心打碎了一个花瓶。他没有像常人那样懊悔叹惜，而是俯下身子，小心翼翼地将满地的碎片收集了起来。

出于好奇，雅各布·博尔并没有把这些碎片扔掉，而是耐心地将其按照大小进行了分类，并称出了重量。结果，他发现：10 ～ 100 克的最少，1 ～ 10 克的稍多，0.1 ～ 1 克和 0.1 克以下的最多。

令人惊喜的是，这些碎片的重量之间表现为一定的倍数关系，即较大块的重量是中等块重量的 16 倍，中等块的重量是小块重量的 16 倍，小块的重量是小碎片重量的 16 倍……

雅各布·博尔将这一原理称为“碎花瓶理论”，并利用这个理论对一些受损的文物、陨石等不知其原貌的物体进行恢复，给考古学和天体研究带来了意外的效果。

从哪里跌倒，就从哪里爬起来。雅各布·博尔不小心打碎花瓶后，并没有纠结、懊悔自己的失误，而是对错误的潜在价值进行了创造性观察与思考，从中总结出规律，并将其理论用于工作中。

人类社会的发明史上，有许多人利用错误假设和失败观念产生了新的创意，哥伦布以为找到了一条通往印度的捷径，结果发现了新大陆；开普勒发现行星间有引力存在，是偶然间由错误的理由得出的……可见，发明家不仅不会被成千的错误击倒，反而会从中得到启发。

在创意萌芽阶段，犯错往往是创造性思考必要的助推器。谁能允许犯错，谁就能获取更多；没有勇气犯错，就很难突破。尝试错误，才是进步的前提条件。这需要我们做到以下几点：

第一，接受不完美。每个人都有别人看不到的缺点，只有在特定的环境中才会显现出来，这与教育、学历都没关系。

第二，不同他人比较。每个人的生活环境都不一样，不必和任何人比较，保持上进心，做好自己的事，努力生活就可以了。

第三，积极应对。既然错误已经发生，那就采取措施积极应对，避免心生抱怨，甚至一蹶不振。积极作为，永远是走出低谷的正确选择。

人们主要是从尝试和失败中学习，而不是从正确中学习的。因此，做事不要怕犯错，犯错后要勇于从错误中找出教训，这才是走出困境的最佳药方。

7. 为自己的心态找个平衡点

正如卡耐基所说“心态决定命运”，一个心态消极的人注定会在自怨自艾中走完自己的一生，而一个心态积极者则会在不断的进取中成就自我。不过一个人的心态是处在动态变化中的，时而消极，时而积极，从心理学角度而言，不管是哪种情绪，太过激动都不是什么好现象，唯有找到一个平衡点，才能避免成为“情绪”的傀儡，从而冷静理智地掌控自己的人生。

人的情绪会受到很多客观因素的影响：外界的刺激，周围的环境，气温高低，日照时间长短，天气状况……比如长期生活在高纬度地区的人们，由于日照时间短，夜晚和冬季都非常漫长，所以人的情绪容易变得压抑，靠近北极圈的高纬度地区也是全球抑郁症的高发地区。

除了上述所说的客观因素，人的情绪主要受自身状况影响，性格、个体反应差异、对外界刺激的关注度、神经系统的灵敏度、自我控制能力等都会直接影响我们的情绪变化状况，不过绝大多数因素是无法改变的，我们要想让自己的情绪保持在一个比较平稳的状态，就只能通过自己的意志力和对情绪的自我控制能力来实现。

小A和小B就职于同一家公司，但两个人的心态却完全相反。小A性格内向，心态趋于保守，很少会大喜大悲，没有太多激烈情绪波动；而小B性格很外向，经常和同事们说说笑笑，不过比较情绪化的小B生起气来也是毫不含糊，这一秒还满脸都是笑，下一秒没准就是“黑云压境”。

实际上两个人的工作能力并不逊色，在公司一直都是兢兢业业，但奇怪的是三年过去了，小A和小B在原来的职位上没有丝毫变动，没有升职也没有加薪，连比他们后来的小D都调了一次薪，为什么小A和小B两个老员工却没份呢？

在领导们看来，小A实在是太过于保守，看事情总是往坏处想，这种偏消极的心态注定小A是个墨守成规的人，缺乏开拓精神，如果真的提拔小A做领导，恐怕整个部门都是这种风气，对于公司来讲，这会非常不利。小B虽然开朗外向，比较有号召力，但太过于情绪化，和刚出校门的孩子一样，一会儿高兴一会儿不高兴，怎么看怎么不靠谱，领导实在不放心把非常重要的事情交给小B办！

其实小A和小B代表了我们生活中的两类人，不管是情绪太过稳定，还是情绪太过不稳定，都不是一件好事。要想在职场当中如鱼得水，就要想办法找到自己的心态以及情绪平衡点，该情绪高昂调动大家主观能动性的时候就要拿出情绪的感染力来，该保持沉默时就要宠辱不惊，泰山崩于前而不改色。

那么，对于我们普通人来说，怎样才能更好地找到心理平衡点呢？

（1）感性与理性要分场合

人在社会中扮演着多种角色，不同的情绪应当对应不同的场合，比如在与恋人相处时，就可以适当更感性、更情绪化一些，只有这样才能让对方更好地感知你的喜怒哀乐，从而享受亲密无间的甜蜜。但在工作当中，则要冷静理智，不可表现得过于情绪化，否则会给上司留下“不可信”“不靠谱”“不稳重”的印象，如此一来，要想加薪升职就会和小 B 一样变得异常困难。

（2）一定要避免情绪失控

每个人的心态以及情绪都有不同的属性，有些人偏积极，有些人则偏消极，还有一些人则比较中性，不管你的情绪和心态是什么属性，都不必太过于纠结，情绪和心态本身没有好坏，只要避开了情绪失控的陷阱，你就能找到心态的最好平衡点。谁都免不了会有情绪失控的时候，但如果失控是常态，那么你就需要重点注意了，可以先找出情绪失控的原因，再对症下药进行校正调节。

一个文质彬彬的君子，可以一秒钟变成一个双眼充满血丝的暴徒，这就是情绪的力量。情绪对人的影响力是非常巨大的，唯有保持平稳的情绪才能冷静理智地处理生活和工作中的各种事务，唯有拥有一个平衡的心态，才能不卑不亢、不急不躁地应对接踵而来的各种人生挑战。

第二章

心理优势：不是优秀了才强大，而是强大了才优秀

在纷繁芜杂的世界中历练一股强大的内心力量，做内心强大的自己！不是优秀了才强大，而是强大了才优秀。一个内心强大的人，无论遭遇别人怎样的嘲讽，遇到多大的困难，都不会被轻易打倒。内心强大的人的精神达到了一定的境界，甚至让人们折服。他们意志坚定，不论遇到多大的诱惑或挫折都能淡定处之，依然固守着内心那分信念。

1. 生活更偏爱有力量的人

困难像弹簧，你弱它就强。生活给了你苦难，其实是一种考验——如果你懦弱、胆怯、妥协，那么这个世界不会对你微笑，更不会给你拥抱。当你羡慕别人有甜美的爱情、称心的事业时，别忘了看看他们当初是怎么面对挫折的。

世界对任何人都是公平的，只不过它更加偏爱有力量的人。所谓“有

力量”，并非指身强体壮，而是指陷入逆境的时候，能够保持积极乐观的情绪，勇敢面对挑战，战胜挫折。

内心有力量的人无所不能，他们在积极情绪的驱动下，会在行动上带来惊人的改变。因此，保持顽强的意志，用良好的心态面对一切，自然容易得到好运的垂青。

年轻的时候，考古学家谢尔曼曾在一家公司工作，由于业绩突出，收入颇丰。经济实力大增，谢尔曼准备向暗恋已久的著名好莱坞女星敏娜求婚。但是，此时的敏娜已经和别人有了婚约。

对此，谢尔曼非常懊悔。没能挽回期待已久的爱情，这无疑是一个沉重的打击。好在谢尔曼是一个内心强大的人，感情上受挫以后，他把精力全部投入到了商业活动中，在国际贸易方面获得巨大收益。很快，他便成了世界级的富翁。

金钱上的满足并没有让谢尔曼失去自我，反而让他更加严格要求自己。他重新拾起了年幼时的古希腊语和拉丁语，因为成为一个优秀的考古学家是他年少时的一个梦。

随后，谢尔曼勤奋学习。为了专心地从事发掘特洛伊遗迹工作，他在 42 岁那年放弃了商业经营，全心全意地投身考古事业。有人不理解这种选择，谢尔曼说：“现在我所拥有的财富已经无比丰厚，我现在想做的是实现少年时的梦想。”

当金钱不再成为谢尔曼的生活主题时，他寻找到了另一片天地，让人生变得更有意义。就这样，他把后半生都投入到挚爱的考古事业中。

谢尔曼说：“我也是下了很大的决心才决定放弃手头的生意，转而从事考古事业。拿后半生做赌注，承担任何一种结果，我无怨无悔。”最终，谢尔曼实现了自己的考古梦，特洛伊遗迹的出土标志着他为世界考古事业做出了突出贡献。

谢尔曼的一生有过几次重大挫折，但是他没有畏惧不前。面对困难，他表现出一个男人应有的坚强意志，选择勇往直前，展示了有力量的人生。无论环境怎么变，谢尔曼顽强的拼搏精神不曾变，他始终都不曾是一个软弱的人，努力向世界证明自己是一个有力量的人。世界对他也投以微笑，既能把生意做得风生水起，也可以在考古方面有所建树。

法国著名作家福楼拜说过："你一生中最光辉的日子，并不是成功的那一天，而是能从悲叹和绝望中涌出对人生挑战的心情和干劲的日子。"文艺复兴时期的雕塑大卫，体现了一种人体力量之美。可是它并不是仅仅指表面上的肌肉力量，更深层次的含义是人类在文艺复兴时期面对黑暗的中世纪和宗教压迫，那种敢于反抗、勇于突破的力量。

一个人可能外表柔弱，但内心必须强大无比。那些在寒风中辛勤劳作的人们，他们用心灵上的力量激励自己，改变命运，不曾陷入消极情绪。世界被他们的勤奋、坚强打动，回报他们明媚的阳光。

面对困难就像与疾病抗争，它会消磨你的意志，让你情绪低落。内心强大的人懂得转换心情，愉悦地面对各种艰难，让人生充满力量。

2. 你比想象中的自己更强大

每个人都曾有过悲伤，也曾迷失过方向，但是只要心还在跳动，就还有希望。遇见任何磨难，都不要轻言放弃，因为你远比自己想象的更强大。

大文豪莫泊桑说过，"生活不可能如你想象的那么好，但也不会如你想象的那么糟。人的脆弱和坚强都超乎了自己的想象。有时，我可能脆弱得一句话就泪流满面；有时，也发现自己咬着牙走了很长的路。"

凯洛琳生活在纽约上东区，母亲早年离世，父亲是有名的风投家。可以说，她是含着金汤匙出生的，从小到大没有经历过一天苦日子。她甚至不知道有公交车，因为出门都是司机专车接送。

此外，凯洛琳在贵族学校读书，结交的朋友也都是商界、政界名流，还有好莱坞的明星。在他人看来是梦幻般的生活，对凯洛琳来说却是极其平常的日子。然而天有不测风云，父亲因为商业诈骗被捕入狱，所有财产全部用于还债，并且还欠了一大笔债务。

突如其来的剧变让凯洛琳不知所措。大别墅不见了，小跑车也没有了，甚至连漂亮名贵的衣服、珠宝也都被没收了。更悲惨的是，曾经的朋友都和她划清了界限。一夜之间，生活天翻地覆，凯洛琳不得不从富人区搬到了平民区。

起初，凯洛琳以为自己肯定过不了这种平民的日子，绝对熬不过没有大把金钱的生活。可是，为了给父亲还债，她不得不找了一份快餐店服务员的工作。刚开始的时候，她手忙脚乱，不是记错了订单，就是打翻了茶杯，经常被经理责骂，还要被扣工资。起初，凯洛琳只是委屈地哭，但是很快发现这根本没用。无论怎么哭泣，也要把烂摊子收拾干净，并且不会因为眼泪而得到别人的同情。

随后，凯洛琳变得坚强起来，做事也麻利多了。她把在高等学府培养的气质带到工作中，很快受到消费者的喜爱。渐渐地，她竟成了店里的招牌，可以独当一面了。她不再哭泣，虽然偶尔还要被责骂，但是已经学会了在逆境中成长。

三年后，凯洛琳完全不再是富家千金的样子，她凭借出色的表现得到总公司赏识，最后做了店长。回顾这段日子，凯洛琳从没有想过自己能熬过来。刷盘子，扫地，收钱，一天微笑十几个小时，这些几乎是她从来没做过的事情，现在居然可以做得这么得心应手。凯洛琳说：“我从来没有想到过，自己可以这么强大。即便是家里破产，也没能打垮我。”

过惯了奢华的生活，当这一切都不存在了，不必恐惧。也许你认为自己无法忍受平常的日子，但是只要有勇气面对，就会从容应对未来的挑战。

人的潜能是无限的，有待慢慢发掘。艰难困苦磨炼人的意志，在危机中产生发明、发现，都屡见不鲜。战胜危机的人是那些敢于超越自己，而且没有被危机征服过的人。一旦你有勇气直面困难、邪恶，呼喊它的名字，一切就变得不再害怕。

对过去不必悔恨，对未来不必恐惧。坦然接受眼前的事实，尝试着努力应对挑战，没有什么能阻挡你前行的步伐。找到那个具有强大生命力的自我，没有人可以否定你的能量，只不过你不曾发觉而已。

一个内心强大的人，无论遭遇怎样的嘲讽，遇到多大的困难，都不会被轻易打倒。在他们身上，流露出的是坚定的意志、强悍的行动力。不论遭遇多大的诱惑或挫折，都能够做到心如止水；甚至遭受牢狱之灾，面对死亡的威胁，也能够始终保持一颗淡定之心，这样的人终究是不可战胜的。

3. 这个世界上，没有人能阻挡你成功

工作中遇到挫折，人们习惯把失败原因归结为同事不配合，或者客户不讲理，很少反省自己。埋怨缺少伯乐赏识，埋怨没有遇到合适的机会……认真想一想，真的是这样吗？

只要客观分析一下就能发现，那些失败的理由都是站不住脚的，更多是在为自己的失败找借口。事实上，你在工作上无所建树，业绩乏善可陈，不是外界那么多客观原因造成的，主要是自己缺乏做事的意志、能力等。这个世界上没有人能阻挡你成功，只要你足够努力。

尼克出生在纽约的贫民窟，爸爸妈妈为了抚养他和两个哥哥、两个妹妹费尽辛劳——每天早出晚归，但是微薄的工资根本无法维持家用。

从小在别人的歧视中长大，尼克过得并不快乐，人们在他眼里看到的是沉默和沮丧，少了一些孩童纯真的光芒。

12 岁生日那天，爸爸突然递给尼克一件衣服，并问："你觉得这件衣服值多少钱？"

尼克说："大概一美元。"

爸爸用探询的口吻说："你能将他卖到两美元吗？"

"傻子才会花两美元买一件破衣服。"尼克毫不犹豫地说。

爸爸说："如果你能卖到两美元，钱就归你了。为什么不试一试呢？"

尼克听了点点头："我会努力的！"

随后，尼克小心地把衣服洗干净，并用刷子把衣服刷平，晾干。第二天，他带着这件衣服去了人流密集的车站叫卖，天黑之前终于把衣服卖出去了。尼克看着手里的两美元，非常开心。

过了一周，爸爸又送给尼克一件旧衣服，希望他可以想办法卖到 20 美元。尼克表示没有办法。但是在爸爸的鼓励下，尼克想到了一个好点子。

他找到学习画画的朋友，请对方在衣服上画了迪士尼玩偶，然后去富人区的街头叫卖。过了一会儿，一个非常喜欢迪士尼玩偶的男孩经过，看到衣服非常开心，毅然让身边的保姆买下来，还给了尼克 5 美元小费。

回到家，尼克全家非常高兴，这 25 美元相当于爸爸一个月的工资。

夜晚，父子躺在床上。爸爸问："尼克，你从卖衣服这件事上明白了什么道理？"

尼克说："只要开动脑筋，没有办不到的事情。"

爸爸笑了笑说："的确，一件破旧的衣服不值钱，但是经过改变也可以变得昂贵。一个贫苦的人只要不放弃努力，总会有成功的希望。"

在这个世界上，从来没有人可以阻挡你成功的脚步。遇到挫折与打击，更多的原因是自身存在各种问题，比如妄自菲薄、不够努力、缺乏持久性等。

认真反省一下不难发现，懒惰让你裹足不前，自卑让你缺乏改变的勇气，软弱让你变得无力，狭隘阻挡了你与更多的人成为朋友，放弃阻挡了获得成功的机会……当你深刻剖析之后，自然会发现工作毫无建树的罪魁祸首不是别人，正是自己。

请牢记，事在人为。失败不是因为你缺乏这样或那样的实力，而在于工作心态，以及无法有效掌控工作情绪，结果过早地选择了放弃努力。工作是一生的事业，耗费人们漫长的时光与精力，因此调整好情绪，才能发挥应有的才华、技能，在工作中有所建树。

工作缺乏动力和耐心，请先调整自己的情绪吧！战胜自己就等于战胜了一切。无论你曾经多么执拗、多么浮躁，只要肯塌下心来做事，总有一天会成为能力出众、经验丰富的专业人士，在团队中独当一面。

4. 你若不勇敢，谁替你坚强

人生的每一天都应该是崭新的一天，生命的意义就在于日日更新。只愿闲坐着默想昔日的成就，平静地走向人生的终点，会阻碍心灵的成长，扼杀了想象力与创造力，会让人不思进取。

哲人说，“要做进取者，永远站在队伍的最前列”。整个世界就是一个竞技场，人的一生都处在比赛中。要想不断进取，在比赛中获胜，就必须学会尝试。勇敢行动，是成功的开始。敢于尝试促使你不断向成功迈进，从而避免懈怠。

“贫穷本身并不可怕，可怕的是安于贫穷的思想”。世界上每个人呱呱坠地时都是不名一文的，可是最终有贫富之分，是思想的问题。一旦安于现状的思想扎根心底，我们就会丢失尝试之心，也就永远走不出失败的阴影。

人的一生中总会遇到这样或那样的机遇。许多人与机遇擦肩而过却浑然不觉，但是更多的人会选择为自己创造机遇。与机遇擦肩而过之人必是胆小怯懦之人，在机遇面前犹豫不决，不敢轻易尝试，最终人生满是遗憾。而为自己创造机遇的人必是勇气十足之人。

在海边有一个平静的小渔村。村里人世世代代都靠捕鱼为生，他们秉承网开一面的传统，放过小鱼苗以便能够源源不断地捕捞到鱼。近年来，由于渔村的人口增加，生活压力的增大，渔民们抛弃了祖先的忠告，开始对附近海域的鱼类赶尽杀绝。随后海里的鱼越来越少，一些品种已经灭绝。

渔民们的收入逐渐减少，已经很难维持生计。他们这才意识到违背祖先的危害。村里人商量后急忙凑钱从外地进来鱼苗撒进海里，但是鱼苗长成能被捕捞并能繁衍后代的大鱼需要很长一段时间。村里人世代捕鱼，根本不会其他的谋生手艺，在这段等待的时间里，他们将过得非常辛苦。

有一位叫加里的小伙子想到了出海捕捞，大人们都劝他打消这个念头。他们说，在很久以前，村里也有人为了多赚钱，想到了出海捕鱼。但是，他们没有出海经验，渔船也只适合在浅海工作，去了一批又一批的人都没有回来。

加里说“在这段等待的时间里，肯定会有人饿死或者病死。与其等死，倒不如鼓起勇气拼一把。”

几天后，加里准备了充足的淡水和食物，驾着改良后的渔船出海了。大人们都在海边为他祈福，希望他能安全回来。一个月过去了，加里还没有回来，村里人认为他已经葬身茫茫大海，都为他惋惜不已。

过了几天，加里回来了。他的渔船已经非常破旧，但是里面满载着各种各样的海产品，一辈子没有离开过浅海的村里人看得眼花缭乱。后来，越来越多的人跟着加里出海捕捞，小渔村逐渐成为大型的渔港。

歌德说:“如果你失去了财产，你只失去一点；如果你失去了荣誉，你将失去许多；如果你失去了勇气，你就把一切都失掉了！”

勇气是成功的助推器，如果一个人拥有足够的勇气，所有的困难、挫折、阻挠都会为你让路。勇气有多大，就能克服多大的困难，就能战胜多大的阻挠。你完全可以挖掘生命中巨大的勇气，去尝试新的事物，给人生换上一副崭新的面孔。

5. 学会感恩，才能学会坚强

卡耐基说：“世界上大部分的重大事情，都是由那些在似乎一点希望也没有时，仍继续努力的人们所完成的。”面对磨难，每个人都有突出重围的机会。关键是，你要找到走向光明的通道，能够保持积极乐观的精神。

希尔的祖父以制作马车为生。每回整地播种时，他总会留下几棵橡树，任凭它们在空旷的田地里承受风吹雨打。

他这样告诫希尔：

“那些大自然里努力求生存的橡树，比森林里受到保护的同伴更坚实，更具韧性。我用那些饱经风霜的橡木制作车轮，弯成弧形的零件，不必担心会断裂。因为它们受过磨难，有足够的力量承受最沉重的负担。

“磨难迫使我们前进，否则我们将停滞不前；它引导我们通过考验，获得成功。未经磨难，无法得到任何有价值的东西，简单的事情每个人都可以做到。每一个成功的人，在生活中都会经历一番奋斗。人生是不断奋斗的过程，勇于面对困难，克服困难，迎接下一个挑战的人，就是最后的赢家。

“磨难同样可以强化人们的意志。大多数的人希望一生平坦顺利，然而，未经磨难与考验，人们往往会庸庸碌碌过一生。我们应该勇于面对逆境，努力奋斗，才会有更多机会。”

从商学院毕业之后，希尔的第一个老板是罗富士·艾亚斯先生。这家法律事务所生意兴隆，希尔必须经常在晚上加班，有时候节假日也不能休息。每天结束辛苦的工作后，希尔总是抱歉工作时间太长了，简直是一种折磨。

不过，希尔也会这样对自己说：“忙碌的工作帮了你大忙，今天晚上得到的经验，对你的帮助更大。即使现在体会不到也没关系，将来有一天你一定会理解的。”果然，多年以后，希尔凭借早年的吃苦、磨难，比同龄人、同行掌握了更多专业知识，工作技能，这成为他日后事业发展的基础。

雪莱说：“最为不幸的人被苦难抚育成了诗人，他们把从苦难学到的东西用诗歌教给别人。”如果幸福是人生的目标，那么，苦难就是达到这一目标所必不可少的条件。可以说，苦难往往是经过化装了的幸福。

“人生就像一杯茶，不能苦一辈子，总要苦一阵子。”无论经历着怎样的磨难，都不必心生恐惧，而应以感恩的信念度过当下每一天。

感恩让一个人变得更加坚强，因为常怀感恩之心，所以能从日常生活的点滴中体会到快乐。人生在世，虽然会碰上许多不顺心的事，但是如果让这种情绪蒙蔽了心灵，日子就会变得绝望和枯燥。而当我们用感恩的心面对一切，就能拥有坦荡的心境和开阔的胸怀，怀抱着善意，播撒善心，自然容易赢得回报。

懂得接纳既成的事实，坚强地承受眼前的一切，会让你的人生充满彩色的光芒。不为过去掉眼泪，只为明天展笑颜，这是令人肃然起敬的优秀品质。许多事实无法改变，你只能改变自己的态度，接受生活给予的一切。战胜悲伤，感恩那些在阴雨天出现的缕缕阳光，你会发现，生活依旧如此美好。

罗曼·罗丹曾说：“只有把抱怨别人和环境的心情，化为上进的力量，才是成功的保证。”的确，你只有感谢曾经折磨过自己的人或事，才能体会出那实际上短暂而有风险的生命意义；你只有懂得宽容自己不可能宽容的人，才能看见自己心中的远阔，才能重新认识自己。

遇到困难的时候，懂得感恩的人总会有人愿意伸出援助之手，在痛苦时总会有人为你送去欢乐。感恩，让社会充满了爱。学会感恩吧，感谢每一个出现在你生命中的人，他们带给你喜乐和忧伤，让每天的生活变得丰富多彩。

6. 走过人生的鄙夷与不屑

成果未得，先尝苦果；壮志未酬，先遭失败，这样的情况在生活中比比皆是。一个人追求的目标越高，就越能敏锐地感受到逆境的存在。先哲说：“所有的危机中，都藏匿着解决问题的关键。”人生的挫折和苦难中都蕴含着成长和发展的种子，然而，能够发现这颗种子的人并不多，所以世上多是平庸之辈。

不堪一击的花朵出自温室，高可参天的大树来自险峰，平静的池塘培养不出优秀的水手。恶劣的环境或危险的强敌，会让人们时刻准备着迎接挑战，督促人们在奋力拼杀中闯出一条血路。任何时候，谁能勇敢走过人生的鄙夷与不屑，谁就能成为时代的强者和赢家。

对于一幅雄浑的风景画来说，它的精妙之处不在于波澜壮阔，不在于姹紫嫣红，而在于不经意的一笔，却有鬼斧神工、画龙点睛之妙。逆境就是人生路上这不经意的一笔，看似多余，让你厌恶，让你不知所措，却是激发潜力不可或缺的部分。换句话说，挫折能激发人的潜能，增强人的韧性和解决问题的能力，能让人格在对抗苦难时不断完善。

诺曼毕业于一所普通大学，在校期间功课和社会实践成绩都不出众，但是在招聘会上却被一家世界五百强企业录用。于是，校报派记者采访这家企业的招聘负责人，对方说："诺曼同学的表现非常出色，他几乎满足我们所有的要求，是企业最需要的员工。"

学校学生报的记者非常奇怪，找到诺曼寻求答案："诺曼同学，恕我直言，你平时学习成绩并不出众，也不太喜欢参加社会实践和集体活动，为什么在这次招聘会上能被世界五百强企业录用？并让其对你做出非常高的评价呢？"

诺曼思考了一会儿，说："这大概要归功于我之前在应聘中遇到的挫折。"原来，在毕业前半年，诺曼已经开始四处应聘了。他认为自己不优秀，如果想得到一份好工作，就必须笨鸟先飞。

没有社会经验，成绩形象都不出众，诺曼在这半年的时间里一直忧心忡忡。开始时，他的表现糟糕至极，脾气好的面试官会耐心地提出一些可行的建议，脾气差的面试官就直接恶语相向。每次面试完之后，诺曼会分析原因，记录得失。半年来，他参加了一百多场面试，几乎每天都在面试，而那本厚厚的面试记录本成了他宝贵的财富。他吸取了这一百多次应聘的经验教训，所以在这次学校招聘会上表现出众，最终得到了面试官的肯定。

每个人都害怕逆境，但有时候逆境给予我们的要比顺境给予我们的多很多。真正让人热爱生命的不是阳光，而是死神；真正让万物生长的不是风和日丽、天高云淡，而是严寒酷暑；真正逼迫你坚持到最后的，不是亲朋好友的支持，而是对手的压力；真正能促使你成功的力量，往往聚积于竞争之中；真正促使你奋勇拼搏的不是优越的条件，而是人生路上遭遇的打击和挫折。

第三章

正确认识自己：超越自卑，才会内心澄净

正确认识自己，在自卑中发现力量。自卑是一个偶然事件的结果。你终究会发现，这其实是一场误会，没你想得那么严重。你和理想之间，只差一个自卑的距离。超越自卑，人生因此而不同。

1. 不要被自己的错觉骗了

在心理学上，有一个词叫晕轮规则，又称光环规则，是心理学家爱德华·桑戴克最早提出来的。爱德华认为，人对事物和他人的认知判断往往是从局部出发，然后扩散，最后得出整体的形象。就像晕轮一样，这些认知和判断常常都是以偏概全的。

人们的内心深处总是认为，人的外表和性格存在某种直接联系。这其实是一种以偏概全的主观臆测，也是错觉出现的原因之一。正如歌德所说，“人们见到的正是他们知道的”。错觉的失误就在于：它只抓住

事物的个别特征，习惯以个别现象推及一般，以点带面，它把并无内在联系的性格和外表特征联系在一起，通过外貌特征断定内在一定存在某种特征。外表好内心就好，反之，内心品质就是坏的。显然，这是一种受主观偏见支配的绝对化倾向。

在现实生活中，面对同一个事物，我们往往看到它的多个表象，而对它的本质“视而不见”。其结果往往是，错觉把人引向表象的殊途，而弱化了我们洞察事物本质的能力。因此，我们一定注意不要被自己的错觉骗了。

多芬是一个素描肖像艺术家，他曾经在圣何塞警察局工作过 15 年，为各种疑犯、受害者等画过肖像，并且帮助警方破获过多起大案。他在工作中发现有些人总是对自己的容颜过于挑剔。全球有 30 亿女性，但是只有 4% 的女性认为自己是美丽的。

他希望女性的容颜能够成为她们自信的源泉，而不是她们焦虑不安、忍受苦难的源头。多芬做了一个测试，想以此让更多人明白：每个人都比想象中的自己更美丽。

多芬聚集了很多女性，有专职的家庭主妇，有刚刚结婚的少妇，也有年轻的公司职员，她们互相并不认识。接下来，先让大家互相交流一会儿，然后一个一个地进入房间进行测试。第一个测试者凯蒂，是一个家庭主妇，她看到多芬背对着自己，而在多芬的面前是一个画板。

多芬向凯蒂提问：“请描述一下你的下巴。”

凯蒂回答说：“有一点凸出，尤其是我笑起来的时候，我非常不喜欢它，所以我从来不大笑。”

多芬：“那你的脸颊呢？”

凯蒂：“我母亲说我的脸很宽，而且你知道年纪越大皱纹就会越多。”

多芬：“你最显著的特点是什么？”

凯蒂："嗯，我的额头很宽，在我的脸上非常失调。"

多芬："谢谢，你可以离开了。"

在这个过程中，他们相互看不见，多芬只能根据凯蒂的描述绘制凯蒂的肖像，然后让凯蒂刚刚交到的新朋友安迪亚来描述凯蒂。

多芬："我想问一些关于凯蒂的问题，主要是她的长相如何。"

安迪亚："她很瘦，她的颧骨很高，而且她的下巴很窄，鼻梁很高，很漂亮。"

多芬："那她的眼睛呢？"

安迪亚："她的眼睛很美，说话的时候眼睛亮亮的。"

多芬按照安迪亚的描述又画了一张凯蒂的肖像素描。完成之后，多芬又请凯蒂回到了房间里。这时，凯蒂才见到了多芬，以及为她绘制的两张肖像画。

多芬告诉凯蒂，第一张是根据她自己的描述画出来的，第二张是根据安迪亚的描述画出来的。凯蒂震惊得说不出话来，第一张肖像中的凯蒂很胖，皱纹很多，看起来非常不开心，第二张肖像看上去显得开朗和善，而且年轻许多。

凯蒂说："我应该为我的美丽高兴，这会影响我的朋友、工作，还有怎样对待我的孩子，尤其是决定了我是不是快乐。"

多芬问她："你是不是觉得你比自己想象中更美丽？"

凯蒂说："是的，作为女人，我们过于挑剔那些自己不喜欢的地方，由此产生错觉，然后把自己归类成不美丽的女人。"大部分人把这个归于不自信，其实不然，是错觉骗了我们。

请不要让错觉左右自己，无论做什么事都要多一个心眼，多想想事物背后的真正面目。我们要用理智的头脑去看待事物，否则就会被错觉蒙住双眼，盲目地踏上那错误的道途，一路上踩的是荆棘而不是鲜花。

生活中，不要让错觉遮住我们的双眼，进而迷失了自己。比如，亲情往往是披着多彩大衣围绕在我们身边的天使。有时候，它是父亲严厉的呵斥，是黑色的；有时候，它是母亲唇间的声声呼唤，是粉色的……如果让错觉遮住了双眼，就只能看到父亲呵斥的恐怖表情，而看不透呵斥背后真正的爱。

面对生活中的任何人，不应盲目地跟着错觉走，丧失了自主的能力。当一人递给你一支掺毒的烟时，我们绝不要只看到他友好的一面，而忽略了他为了利润而引诱你吸毒的本质。

不让错觉遮住双眼，就要擦亮双眼摆脱“错觉妖雾”的迷茫。事实上，人们对眼前的事物首先产生一种感性认识，它仅是由事物的表象组合而成的。为了摆脱错觉，首先要将眼前的感性认识上升为理性认识。为此，必须以渊博的知识作为强大的后盾，学会理性地思考问题，具备应有的大局观。

所以，无论何时何地，无论对人还是对事物，请保持一些理性思维，还原那个真实的自我。

2. 输什么也不能输了自我

法国著名思想家帕斯卡尔曾经说过，“人是一棵会思想的芦苇。”具备独立的思考能力，恰恰是人类的高贵之处。然而，在现实生活中，并不是每个人的思想都是独立的。群体性是人的本质属性，一个人的思想和看法常常会受到周围环境、社会潮流、历史原因以及舆论等多种因素的影响。

适当接受别人的批评、建议，对开拓一个人的思维是很有好处的。但过于看重他人的看法，丢失了自我，就会在人云亦云中失去了独一无二的智慧，只能被旁人的思想牵着鼻子走。

兼听则明，偏听则暗，虽然人们天生就有接受他人意见的开放心胸，但轻易接受建议却是危险的。因为他人的意见再好，也终归是外界的一种建议，它无法让我们成为真正的自己，反而会变成他人理想的样子。这样一来，便会成为对方情绪、思想的傀儡。芭芭拉·格罗曾直言不讳地指出：“做任何事情，开始时，最为重要的是不要让那些总爱唱反调的人破坏了你的思想。”

从哲学上讲，人是一个独立的生命个体，不是别人的影子和陪衬。思想、意志和自尊，是一个人得到外界尊重和认可的基本条件。如果失去了自我，那么就无法得到尊重，最终会在这个世界上沉沦。

能在复杂的舆论环境中坚持自己的立场，也是一种能力。因为人一旦失去思想独立，就会陷入惶惶不安之中，担心出现各种未知的困难和挫折等。长此以往，坏情绪便会如影随形。反之，思想独立，有自己的信念和追求，知道什么该做，什么不该做，能够预测到未来可能会发生的状况，那么心里必定踏实，精神压力小的同时还能做到自信，情绪状态自然积极向上，充满朝气。

尽管只是一个没有什么名气的小发明家，但詹姆斯·哈代的思维十分活跃，他时常会想出不少新点子。然而朋友们却并不这样认为，他们常常挖苦詹姆斯，说他是个彻头彻尾的傻瓜，满脑子里都是奇奇怪怪的念头，简直不可理喻。

偶然的一次机会，詹姆斯接触到了电影的发明。在了解其中的科学原理时，他无意中看到了电影胶卷的转盘，突然一个新点子蹦了出来：为什么不能让胶卷上的画面每次只能走一个格呢？这样人们便有更充足的时间来研究画面中的内容。如果老师在给学生讲解知识的时候，可以借助这样的工具，岂不是比黑板要方便得多。

在詹姆斯看来，这真是一个绝妙的主意，但他的朋友们显然并不这么认为，为此他受到了不少嘲笑和讽刺，“这么烂的点子也只有那个傻瓜想得出”“天啊，他真是傻瓜中的天才，我没见过比哈代更傻的家伙了”。

在嘲讽面前，詹姆斯没有丝毫的动摇。此后，陆续有人和他唱反调，甚至其他发明家同行也十分认真严肃地告诫他，尽管这个发明可能成功，但并没有太大的实际使用价值和经济价值，并劝说他放弃这个点子。但他并不为其所动。

自始至终，詹姆斯都没有被别人的看法左右，而是坚持自己的立场和观点。在众人的鄙夷中，他迅速展开了实验，经过反反复复的尝试，终于做到了让画面与声音同步进行，并成功创造了“视听训练法”。这就是我们今天常常使用的演示幻灯片的雏形。

实际上，在我们周围的那些反对声音中，有些是无心者的嘲笑，有些是发自内心的告诫。但不管出于什么目的，都不要盲目地接受他们的思想和观点，否则很容易迷失自我，从而成为他人的思想傀儡。

很多时候，真理并不是掌握在绝大多数人手中，所以，不要害怕成为异类，不要怕被当成傻瓜。只要相信自己的想法，不被他人的看法左右，就能在坚持中走上成功的道路。生活中，有些人爱面子，所以常常活在他人的嘴巴和眼睛中，却从不知自己真正想要的是什么，没有灵魂地活着又谈何快乐呢？

增强自信心也能够帮我们摆脱别人的看法。人越自信就越自立，每个人都有闪光点，发现你的魅力，强大自己的内心，就不会受他人观念的影响。任何时候，都别失去自我，你才能成为一个独立的个体，赢得尊重，拥抱成功。

3. 正视内心的恐惧

学者马尔登曾说过："人们的不安和多变的心理，是现代生活多发的现象。"他认为恐惧是人生命情感中难解的症结之一。恐惧常常预示着某种不祥之事的来临，并加剧一个人内心的不安和烦躁，像云雾笼罩着爆发之前的火山一样。

从古至今，生命的进程从来都不是一帆风顺的，总会遭到各种各样意想不到的挫折、失败和痛苦。在工作和生活中，我们经常犯这样的错误：还没有真正与问题接触，就将其无端放大，以致迅速心生恐惧，选择逃避，最终将自己打败。

实际上，绝大多数问题并没有我们想象的那样严重，只要撕破恐惧的面纱，具备强大的信念，就能顺利渡过难关，迎来柳暗花明又一村的局面。

那么，怎样才能从恐惧中解放出来，打开束缚心灵的枷锁呢？最有效的方法，就是勇敢地面对它。很多时候，困难远非头脑中臆想的那样可怕，只要我们突破内心的恐惧，勇敢尝试，往往能顺利突出重围。

一个人害怕这个，担忧那个，就会被恐惧捆绑住手脚，到头来毫无进展。为了打开局面，你必须放手去做，采取行动，努力朝目标迈进。爱默生说："去做你所害怕的事，恐惧必然会消失得无影无踪。"

一天清晨，加利福尼亚海岸还笼罩在浓雾中。在海岸以西20多英里（1英里约为1.6千米）的卡塔林纳岛上，一个30多岁的女人涉水下到太平洋中，开始向加州海岸游过去。如果成功了，她将成为第一个游过这个海峡的妇女，从而将费罗伦丝·查德威克这个名字彪炳史册。

下水以后，费罗伦丝·查德威克感觉海水冰冷刺骨，冻得全身发麻。但是，她下定决心，要创造奇迹。时间一个小时一个小时地过去，千千万万的人在电视上看着。有几次，鲨鱼靠近了她，被人开枪吓跑，她继续往前游。15 个小时之后，她的嘴唇冻得发紫，全身一阵一阵颤抖。

查德威克已经在水里泡了 16 个小时，前面雾气霭霭，看不见海滩，而且也难辨认伴随她的小船。她感到筋疲力尽了，更令人灰心的是在茫茫大海中看不到海岸。她一度失去了继续向前的信念，感到再也难以支持下去了，于是就叫人把她抱上船。“把我抱上来吧，我不行了。”朋友和教练在另一只船上，多次鼓励她：“只有一英里了，目标就在眼前，放弃就意味着失败。”

查德威克朝加州海岸望去，除了浓雾什么也看不到。她以为大家在骗她，又坚持了几十分钟，再次请求上船。就这样，人们把冻得发抖、浑身湿淋淋的查德威克拉上了小船，而此时距加州海岸只有半英里的游程。

又过了几个小时，查德威克渐渐觉得暖和多了，接着产生了强烈的失败感。于是，她不假思索地对朋友们说：“说实在的，我不是为自己找借口，如果当时我能看见陆地，也许我能坚持下来。”她认识到，其实妨碍自己成功的不是大雾而是内心的恐惧，是这种致命的无助感挡住了前进的步伐，也让她失去了基本的信心。

两个月后，查德威克又一次尝试着游向加利福尼亚。浓雾还是笼罩在她的周围，海水还是冰冷刺骨，同样还是望不见海岸。但她知道所有的恐惧都来自内心，只有战胜它，才能获得成功。凭借着战胜恐惧的勇气与坚持，查德威克这次终于大获成功。

著名将军巴顿曾经说过：“如果勇敢便是没有恐惧，那么我从来不曾见过一个勇敢的人。”即使再勇敢的人，也有恐惧的时候，关键是你能恢复自信，迎难而上闯出一片新天地。

每个人心中都深埋着恐惧，害怕自己对身边的事物失去控制，也担忧生病、衰老，或者是失去最珍爱的东西。须知，即使内心的渴望得以实现，也不能有效降低那些恐惧感。让自己变得有力，进而胆子大起来，最有效的方法是去正视眼前的恐惧，而不是逃避，或者寻求外力的帮助。因为，最有效的方法往往是自救，只有内心有了勇气，并付诸行动，才能变得更强大。

富兰克林·罗斯福曾经说过：唯一值得恐惧的是恐惧本身。因此，一个心理健全的人应该学会摆脱恐惧，卸掉心灵的枷锁。尤其是年轻人，更应该战胜生活中所遇到的一切困难，而不是逃避人生，更不是妄自菲薄。只要你拥有了战胜困难的勇气，恐惧就会不战而退、不击而倒。

世界上没有永远的成功者，也没有永远的失败者。有人畏缩，得到的也会失去；有人勇敢，失去的也会得到。只要不断尝试、不断磨砺，我们就一定能战胜恐惧。只要告别恐惧，勇敢地朝前走，就没有过不去的坎儿。请牢记，畏惧是人生路上一道深深的壕沟，跨过去你就拥有了出路和希望。

生活中，每个人都难免遇到诸多麻烦和困难，而恐惧也会在成长历程中伴随左右。选择怎样的人生，取决于你如何与恐惧相处。从正面迎击，恐惧就会落荒而逃；姑息纵容恐惧感，它就会时刻潜伏在身边，瓦解你的斗志，把机会从你身边逼走。任何时候，能够战胜内心恐惧感的人，才会凭借强大的内心在险恶的世界里撕开一个口子，创造属于自己的辉煌人生。

4. 事情不是你想象的那样

耳朵听到的大多不靠谱，亲眼所见往往更可信，这被很多人奉为圭臬。然而无数事实证明，眼睛看见的不一定就是事情的真相，甚至亲身经历也在欺骗着你的心灵。何为万事万物的真理，误解与欺骗有什么差异，多年来智者始终没有停止对这些问题的思索。

从遥远的古代到文明进步的现代，人类总会在许多方面产生错觉，不知不觉中被表面现象迷惑，甚至连哲学家也不能幸免。亚里士多德就曾经认为，一个物体越重，其落地的速度也就越快；然而，伽利略的斜塔实验证明这一论断是错误的。请牢记，事情往往不是你想象的那样。对这个问题的深入理解，有助于我们更清晰地看待自己与他人。

一个盲人带着导盲犬过街时，迎面来了一辆失去控制的大卡车，结果导盲犬为了保护主人，也一同惨死在车轮下。

随后，主人和导盲犬一起到了天堂门口。这时，一个天使拦住了他们，一脸为难地说："对不起，现在天堂只剩下一个名额了，所以你们两个之中必须有一个去地狱。"主人一听，急忙问："我的狗不懂什么是天堂，什么是地狱，能不能把决定权交给我呢？"

天使鄙夷地看了他一眼，皱着眉头说："不好意思，先生，众生都是平等的。所以，我给你们设定了一个比赛，谁赢了谁就进天堂。"主人失望地问："好吧，那是什么比赛呢？"

"很简单，你们从这里出发，谁先跑到天堂的大门口谁就是胜利者。不过，你不用担心，因为你已经死了，所以眼睛恢复了视力。还有一点，灵魂的速度和肉体无关，越单纯善良的人跑得越快。"主人听完天使的介绍，欣然同意了。

等主人和狗都准备好后，天使就宣布比赛开始。天使本来以为，主人会为了进天堂而拼命狂奔，然而他却不紧不慢地朝前走着。更令人吃惊的是，那条导盲犬也没有跑，而是配合着主人的步调慢慢地走在旁边，不肯离开主人半步。

天使这才反应过来：原来，这条导盲犬已经养成了习惯，主人去哪里它就去哪里，无论遇到什么样的情况都会在主人的前方加以守护。狡猾的主人正是利用这一点才稳操胜券，只要在将要到达天堂门口的时候，他一声令下，导盲犬就会自动停下脚步。如此一来，他就能轻松地赢得比赛。天使看着这条忠心耿耿的导盲犬，心里很难过，于是大声说："为了保护你的主人，你连命都搭上了，现在你的主人已经能看见东西了，你没必要再为他带路了，快跑进天堂吧！"

可是，无论是主人还是这条导盲犬，好像都没有听到天使的话，始终不紧不慢地往前走。突然，在离天堂大门口还有几步远的时候，主人吆喝了一声，导盲犬立刻顺从地坐在原地。看到这一幕，天使不禁愤怒地望着导盲犬的主人。

这时，主人回过头来笑着对天使说："我终于如愿以偿地把导盲犬送到天堂了，此前一直担心它只想和我在一起……所以才想帮它决定，请你好好照顾它。"听到这里，天使愣住了。主人留恋地看着导盲犬说："能够用比赛的方式决定真是太好了，只要我再让它往前走几步，它就可以上天堂了。不过，它在我身边待了那么多年，这是我第一次用自己的眼睛看着它，所以才放慢了脚步，想多看它一会儿。遗憾的是，路总会有尽头，天堂是它最终的归宿，麻烦你好好照顾它。"

说完，主人命令导盲犬继续往前跑。就在导盲犬到达终点的一瞬间，主人也立刻朝地狱的方向飞去。导盲犬看到这种情形，急忙掉转头，去追赶主人了。

天使呆呆地站在那里，自言自语道："原来事情并不是我想象的那样，从一开始我的判断就是错误的。这两个灵魂是一体的，任何力量都不能将其分开……"

听完这个寓言故事，相信很多人都会为自己的无知感到羞愧。事实上，人们都习惯凭自己的主观臆测做出决断，总以为自己很高明，直到最后才发现事情超出了我们的想象。因为见识不足，导致错误决策；因为私心太重，而误解他人……我们在想象的边界内胡乱作为，却让自己陷入不堪的境地，这不能不说是一种莫大的遗憾。

其实，世界上有很多事情都超出了我们的想象——平日里看到的、听到的、想到的东西，不一定是对的，并暴露了我们的局限。这足以说明，个人的知识不足以精准地判明这个世界，人们看问题的时候，或多或少都会带有个人偏见，都习惯性地用自己的喜好、经验和标准来决断，最后往往偏离了真相，对他人造成各种各样的误解和伤害。

与人相处时要多一分谦卑，别轻易把自己的想法加到他人身上。如果能努力做到这一点，往往容易消除不必要的误解和麻烦。而人与人容易产生冲突、矛盾，大多也是因为当事人缺乏冷静理智思考的能力。结果，自己错误的意识导致错误的言行，最终伤害了他人，也误伤了自己。凡事多思考，多问几个为什么，这种正向思维能帮助我们了解事情的真相，减少不必要的误会。

5. 肯定自我，接纳自我

不能肯定自己，不能接纳自己，就是主观地轻视自己。这种轻视，不仅可以使你心中正在燃烧的激情逐渐冷却，还能打消你成功的信心，导致你发挥失常。所以，智者即使是在没有鲜花和掌声之际，也会懂得肯定自我，接纳自我。

在哈佛的心理课上，教授讲了这样一个寓言故事——

一位国王在花园里散步，他发现花园里的树木都萎靡不振。

为什么会这样呢？国王心中疑惑不解。

于是，国王问橡树："你为什么垂头丧气的？"橡树回答："我没有松树长得那么高大，心里很难过。"

国王又问松树："你为什么不高兴呀？""我不能像葡萄一样结出

那么多果实。”松树回答道。

接着国王又问葡萄树：“那么你又是为什么呀？”葡萄树难过地回答道：“我不能像桃树那样开出美丽的花朵。”

……

国王问完所有花木之后，黯然离开了。忽然，他发现一片生机盎然的草地，一株株小草昂首挺胸，看不出一点烦恼。

国王有些奇怪，问道：“你为什么没有像那些树木一样颓废呢？”

小草回答道：“尊敬的国王呀，我为什么要颓废呢？我知道，松树有松树的美，桃树有桃树的美……如果你想要它们的美，那么只要一个命令，花匠们就会很快把它们种上。而你也想要我的美，所以我作为一株普通的小草，我也有我的美丽，这是那些树木不具备的。”

这个寓言故事告诉我们这样一个道理：不管你是松树还是橡树，又或是一株小草，任何时候都不要否定自己，你有你的美丽，要学会接受自己、肯定自己。

美国作家劳伦斯·彼得曾经说过：“为什么很多名噪一时的歌手在最后的时候总是惨败呢？究其原因，就是因为他们在舞台上一直需要观众的鲜花和掌声来肯定自己，久而久之，他们便迷失了自己。”而真正的优秀者，他们从来不会因为别人而迷失自己。在他们的身上，我们只能看到一种东西，那就是自信的力量——一种发自内心的自我肯定与接纳。

关于肯定自我、接纳自我需要注意以下三点：

（1）每个人都是独一无二的

世界上没有哪两片树叶是完全相同的，更何况是人呢？即使是双胞胎也不完全相同。作为世界上的唯一“单品”，我们每个人都是最棒的版本。上帝赐予我们生命，我们就是伟大的。

（2）天生我材必有用

每个人都有自己擅长的领域，如果你在这个领域没有取得成功，并不能说明你不够优秀，只能说明这个领域不适合你而已。只要坚持不懈，总有一天，你会找到适合自己的领域，在这里你是最有优势和能力的。

（3）永远相信自己

无论处于何种环境，即使所有的人都放弃了你，你也不能放弃自己。抛开对自己的种种偏见，大声对自己说："有我你不孤单，相信自己，我们一起努力！加油，我自己！"

第四章

心情别太沉重：凡事慢慢来，不给自己施加压力

面对人生得与失、沉与浮，心情别太沉重，保持一颗平常心，自然容易多一分洒脱，活出真实的自我。人的一生中兴衰荣辱，得失进退，谁也不能掌控，别给自己施加压力，唯保持淡泊的心态才可以在人生的大起大落中免受伤害。其实，淡泊是在遭受挫折时仍有与花相悦的从容，淡泊是别人都忙于趋本逐利时仍然保持恬静。所以，唯有平淡的生活才是最惬意的，也是最真实的。人生几十年不过如此，为何不让自己轻松快乐一些呢？

1. 从容是一种人生智慧

面对纷繁的世界，我们可以采取各种态度，或积极，或消沉，或洒脱，或纠结，这些态度无关对错，但是我们总是能看到一些积极的因素在其中，有一种看似不起眼，却能让人有一种云淡风轻、笑看浮沉的感觉，这种

态度就是从容。

从容是一种境界，一种举手投足间的洒脱。很多事情其实本不值得去计较，我们需要在意的是其产生的原因，找出事情的矛盾所在和关键之处，才能更好地应对困难，找到出路。因此，从容不是得过且过，而是一种冷静的态度。这个世界没有人能事事顺心尽善尽美，无论是贫穷还是富有，无论是快乐还是悲伤，所有的酸甜苦辣都是生活的必需，被动接纳痛苦，不如主动放弃悲伤，积极面对心灵的骄阳，人生无处不风光。

从容是一种豁达，一种发自内心的强大。大凡从容之人，都会找出自己准确的人生定位，不慌不忙、不躁不乱，井然有序。面对变化，不惊不惧、不愠不怒，从容镇定，始终保持一份独立的人格，守卫心灵上的一方净土。踏踏实实做事，堂堂正正为人，快快乐乐生活，知足常乐。

从容是一种胸怀，一种包容万物的气概。淡定从容的对立面是心性急躁，急于求成，小肚鸡肠。心性急躁是一种肤浅，争强斗胜是一种糊涂。这个世界很大，大到可以容纳一切。淡定从容，不仅反映了一个人的气度、修养、性格和行为方式，而且是一种符合人的生理、心理需要的，有节律的，和谐、健康、文明的精神状态和生活方式。这是一种崇高的美德。

提起小布什，大家多半会想到他朴实甚至有点丑的容貌，磕磕绊绊的英语，很少有人会记起他当年被扔鞋后的表现。其实从这个细节可以看出，小布什内心那份从容。

那时，飞机降落巴格达，小布什一行乘直升机前往萨拉姆宫那个曾经属于萨达姆和他的政权的地方。小布什作为一国总统，自然参加过多次欢迎仪式，但是这一次却让他记忆犹新。

首相官邸，马利基与小布什在那里签署了“驻军地位协议”和“战略框架协议”，最后举行了记者招待会。会场人山人海，听众异常拥挤。

一批伊拉克记者坐在左前方，右手边是国外赶来的采访记者以及外国驻地记者。马利基正在征求第一个问题时，伊拉克媒体区的一名男子突然站起来，厉声大喊了几句，似乎是阿拉伯语，随后，他挥起胳膊，朝小布什的方向扔东西。扔什么？一只鞋？

小布什在他的回忆录里记录了当时他的表现："这一幕以慢动作在我脑海中回放。我感觉自己似乎变成了著名棒球选手特德·威廉斯，他说每当投球飞来时，他都能看清球身上的纹理。一只皮鞋向我飞旋而来，我似乎也看见了上面的花纹，我马上低头躲开。这家伙身手敏捷，说时迟那时快，他又扔来一只。这只飞得没上一只快，我轻轻把头转开，鞋子从我头上飞跃而过，我要是能接住这破玩意儿就好了。"

接下来他还主动安抚众人："你们想知道详情吗？他扔的鞋子是10码的。"我说道："扔鞋的家伙是想破坏这次活动，我把大事化小，这样他的目的就无法得逞。"

一国元首被一位记者扔了鞋，这肯定算是非同寻常的经历之一。小布什作为总统，并没有为这样的侮辱而恼怒，而是用轻松化解了这种尴尬。这件事可以被当作一次危机，而小布什总统的危机公关做得十分到位。从他的表现里，我们看到了大国气度和上位者的风范。

作家莫鲁瓦说过："我们常常为一些应当迅速忘掉的、微不足道的小事所干扰而失去理智，我们活在这个世界上只有几十个年头，然而我们却为纠缠无聊琐事，白白浪费了许多宝贵时光。"这话实在发人深思。过于在意会影响我们的生活质量，使生活失去光彩。显然，这是一种最不明智的选择。

从容是对生活真正的宽容，是在任何事情面前都会处之泰然、宠辱不惊，不会因太过兴奋而忘乎所以，也不会因太过悲伤而痛不欲生。从容对人来说不是一时的心情，而是贯穿一生的处世态度。学会从容会让我们在生活中轻装上阵，不被种种琐事拖累。翅膀上没有累赘的雄鹰才能展翅翱翔。

从容是一种态度，一种淡然，一种智慧，是一种无为之为的气度，是一种任凭风吹雨打的姿态。学会从容，让你的人生更美丽。

2. 与其羡慕别人，不如活出真我

我们总是不由自主地会去羡慕别人所拥有的东西，羡慕别人的工作，羡慕朋友买的新房，羡慕别人的车子。羡慕别人是因为我们期待完美，期望可以活得更好。可是我们却忽视了一点，每个人的处境不同，别人永远无法模仿。与其仰望别人的幸福，不如注意别人经营幸福的方法；与其羡慕别人的好运气，不如借鉴别人努力的过程。

在人生的旅途中，不要再去羡慕别人，好好算算上天给你的恩典，你会发现自己所拥有的绝对比没有的要多出许多。人生是为自己而活的，没有人有权力剥夺我们个人的价值和快乐。做好自己，就要在每一天都活出自己的精彩，别委屈地活在别人的阴影中。人生可以学习，但是不可以复制，每个人都不是他人的替代品，选择快乐地生活，活出自己的特色，才能让生命充实而有价值。

我们为什么不可以开心点呢？为什么要让别人来影响自己的心情呢？须知，在生活中，你才是最重要的主角。因此，不要去羡慕别人，要让自己的人生充满希望和快乐。每天给自己一个希望，每天进步一点点；每天给自己一个微笑，每天保持一个快乐心情。这样一来，自然会少了许多烦恼，活出真正的自己。

生命是上帝赐予人类的财富，我们应该好好利用生命的每一天。相信每个人都是独一无二的，别活在他人的影子里。不要观看他人的风景而忘记了自己的步伐。过去的时间我们已经无法挽留，因此务必好好珍惜未来的每一天。每个人的先天条件是不一样的，以自己的劣势去比较他人的优势并不是明智之举，挖掘自己的价值所在并发扬光大才会有别样的风采。否则，失去了自我的本色，就会在人生旅途中迷失方向。

爱丽丝是一名法国人，她在工作稳定之前，非常羡慕别人优越的工作条件、自由的生活方式。为了模仿那些人，她不停地换工作，改变自己，结果总是把自己弄得特别狼狈，生活一团糟。直到有一天，她终于想通了自己要的是什么，心神稳定了下来，才让人生有了起色。

现在，爱丽丝已经有三种身份：上午，她是某著名公司驻巴黎代表处的首席代表；下午，她是陶艺馆的创始人、“艺术总监”、陶艺教师；到了晚上，她便成为一名作家。

作为公司驻巴黎代表处的首席代表，爱丽丝在上午要坐在电脑前，与乙方联络、报价，与工厂联系，为公司寻找生产厂家。幸运的是，她曾经在赫赫有名的日本建筑公司巴黎代表处工作过三年，所以胜任现有的工作并不难。到了下午，爱丽丝的活动范围就大了，她的才艺得到了充分发挥，在指导学员制作陶艺、雕塑的过程中，充分享受到了应有的快乐。

爱丽丝说，她在大学时代就非常喜欢写作，也曾经发表过不少文章，所以将来或许会以写书为主。在国外留学打工的时候，她曾为了到一家编辑部工作，放弃了薪水高出好几倍的兼职。她参与编辑了几个国家合编文集的法文部分，这本书也成了她至今珍藏的宝贝。今天，爱丽丝已经出版过五本书。她说自己写书并不是为了出名，而是完全出于爱好，因此无论遇到再大的困难也坚持自己的梦想，并把它当作一种喜欢的生活方式。

任凭别人说追求名声也好，沾沾书生气也罢，这些都无法妨碍爱丽丝的生活方式。有人问是不是要坚持下去，她轻松地耸了耸肩说：“为什么不呢？我喜欢这种生活方式，能感到自由和幸福。我不会强迫别人接受我的生活方式，但是也不会强迫自己去改变，去适应周围人的生活。”

爱丽丝也常常劝诫年轻人，希望他们能用自己喜欢的方式去生活，不去羡慕任何人。一定要肯定自己，无论别人在说什么，相信自己的选择是对的。此外，还要追求自由，不能因为外物而束缚了自由的思想，因为只有按照自己的方式飞，才能飞得更高、更远、更快乐。

事实上，生活方式没有卑贱之分，适合自己、能让自己快乐才最重要。请牢记，别因个人好恶而把某些生活方式抬得过高，而对另一些贬得过低。人和人是不同的，所以选择的生活方式也应该是不同的。学会尊重这种差异，不仅是一种必需，而且会在心灵上真正解放自己。

在人生旅程中，每一个年龄段有其特定的精彩，10 岁的单纯，20 岁的活力，30 岁的奋斗，40 岁的稳重，50 岁的知天命，60 岁的人生感悟，等等。因此，没必要站在 20 岁去羡慕他人的 40 岁，更没有必要站在 40 岁去慨叹青春已逝。何必去羡慕别人呢？活在当下，做好自己，让生命更出彩，人生才不会有遗憾。

其实，这个世界是由无数个独特的个体组成的，由此才成就了万事万物的丰富、美好。既然你我都是不可或缺的角色，为什么不全力发挥自己应有的价值呢？为了收获一个最真实、最圆满的人生，请立即行动起来，努力掌握自己的命运，成就人生非凡的价值。

3. 负能量太多时，需反省自己

每个人都希望自己可以正能量满满地度过每一天，可事与愿违，对大部分人来说，负能量总是如影相随：情绪低落、绝望沮丧或焦躁不安，全身无力，不想做任何事情，觉得生活没有意义，对自己感到悲观怀疑、充满否定等，负能量真是无孔不入。如果常常受这些负能量困扰，你的情绪一定会濒临崩溃，其实，只要掌握一些技巧，完全可以把这些负能量像乌云一样驱散，把阳光重新带回到情绪中来。

荀子曾说：“君子博学而日参省乎己，则知明而行无过矣。”意思就是说，通过广泛学习并随时审视自己的言行，可以达到一个智慧洞明、言行无咎的完善境界。当我们背负太多的坏情绪，周围有太多负能量辐射时，最好的办法就是适时反省自己。德国诗人海涅有这样的名言留于后世：“反省是一面镜子，它能将我们的错误清清楚楚地照出来，使我们有改正的机会。”

反省如剪刀，时时修剪人生之树，人生才能茁壮成长；反省如标尺，时时校正追求的目标，人生才能少走弯路。反省自己，就是要常检点自己的为人处世，把自己走过的路看得更清、更全、更远，从而可以站在更高处校正自己的坐标和目标。“未经省察的生活，没有价值”。这是苏格拉底给我们的忠告。对于我们来说，时时反省自己的言行，生活就会多一些快慰，少一些遗憾，我们才能走向成功的彼岸，步入理想的最高境界。

杨平从单位下岗之后，多次寻找工作都没有结果，为此，他的心里烦闷不已。一天晚上，他躺在床上辗转反侧，怎么也睡不着。

杨平所住的房子是原来单位分配的住房，原本他有四个邻居，但其中的两个在前几天已经搬到高级住宅区去了，而另外两个则成了他原来所在单位的高级主管。和这四个人相比，除了下岗失业、住宿条件比他们差以外，杨平实在想不出还有什么地方不如他们，尤其是业务水平方面，他感觉那四个邻居哪一个也比不上他。到底是什么造成了他们今天这么大的差距呢？

经过一晚上的思考和反思，杨平终于悟出了症结所在，那就是自我性格情绪方面的缺陷。在以前的工作中，他虽然技术拔尖，但在与人相处方面却与别人相差太远，他总是把自己的坏情绪带到工作中，虽然工作没有因此而出差错，但他总是对周围的同事表现得忽冷忽热，集体活动也很少参与，自己心情不好的时候还对同事们恶语相向。在这方面，他不得不承认自己比那四个邻居差了一大截。他们虽然业绩平平，但与人相处随和可亲，而且乐于帮助别人，这不正是自己没有的吗？

虽然已是深夜三点钟，但杨平的头脑却出奇的清醒，他不禁开灯走到镜子前，上下审视着自己，他觉得自己第一次看清了自己，发现了自己过去的种种缺点。然后他痛下决心，从现在起，一定要痛改前非，做个自信、乐观的人。

第二天早晨，他整理好心情，满怀自信地前去面试，结果顺利地被一家比原来单位更好的公司录用了。走马上任后，杨平凭着自己的努力，逐渐建立起了良好的口碑，有了前车之鉴，杨平与新公司的同事相处融洽，同事们都非常喜欢他。一段时间后，鉴于他做出的成绩，公司给了他一笔可观的奖金。

杨平之所以能得到一份更好的工作，与前一晚的沉思和反省让自己多了份自信不无关系。自我反省是对自身的一种体检。从一些相对比较重大的事件当中我们可以获得经验和教训，为我们提供了解自己能力和个性的信息，可以从中发现自己的长处和不足，并对自己的长处加以利用，对短处进行弥补。

人生需要反省，尤其是当负能量过多时，我们更要有足够的时间去反思，才能让自己变得更加完美、更加优秀。人生需要反省，需要一定的诚意和心胸，需要一定的毅力与韧性。

反省者的心境应无任何杂念，才能清醒认识自己的方向，正确评估自己的言行，把握好人生历程的全过程，任何狂妄自大、自命清高的心态，都与反省的定位格格不入，与反省的目标背道而驰。

4. 克服紧张情绪，学会放松自己

随着社会的不断进步和高科技突飞猛进的发展，人们的生活节奏日趋加快，社会竞争变得越来越激烈。优者生存，劣者淘汰，面对不断变迁的事物，我们时常表现出不知所措的紧张心理，这是社会文明的必然产物。

从生理心理学的角度来看，人若长期、反复地处于超生理强度的紧张状态中，很容易急躁、激动、恼怒，严重者会导致大脑神经功能紊乱，有损于身体健康，如高血压、动脉硬化、恶性肿瘤与呼吸系统病患等。据国外的一项调查表明，在 200 名癌症患者中，72% 的人都有过情绪紧张的经历。

程刚是一位成功的生意人，他掌管着一家有着 500 多名员工的企业。虽然算得上是个成功人士，但他从来没有放松过，按他自己的话说就是“创业时不能放松，守业时更不能放松”。

妻子总是抱怨程刚：“家里的钱多得下辈子都花不完了，你怎么不能停下来陪陪我和儿子呢？”

程刚对妻子的抱怨只能一笑置之，在他看来，一家好几百人的企业，如果稍有放松，便会出现各种危机。他担心的也有道理，他是公司的董事长，每天都需要查看和签署大量的文件，如果其中的哪一环节出现问题，都会牵一而动百，他怎么能掉以轻心呢？

下班回到家里，程刚根本不能去细细品味妻子为他做的饭菜，而是囫囵吞枣般地吃完饭，径直走进书房，打开电脑，查看公司股价的变动和接受下属们发给他的电子邮件。股价上稍有小的波动，程刚都会心跳加快，然后狠命地吸上几口烟，每每看到他的这种紧张表情，妻子的心也会随之加快，她多么希望自己的丈夫能有一天轻松的时刻啊。

偶尔程刚会和妻子、儿子坐下来看电视，但总是心不在焉，目光根本不在电视上，一会儿看看手机，一会儿看看窗外，总感觉会随时有事情发生一样。

程刚有座让人艳羡的别墅，有两部豪华汽车，家里有妻子照顾，公司里有好几位他亲自挑选的得力助手，按理说，他完全能够放松下来，但他却不知该怎样放松自己，总是神经紧张，像绷紧的弦一般，并且他总是把工作中的紧张气氛带回家里。

最后，程刚终于累倒了，他不得不放下了手头上所有的工作，专心去疗养院疗养。本以为公司可能会因为他的不在而一团糟，谁知，公司的运转比他在的时候还要好。

一个人如果争强好胜，事事都力求完善，事必躬亲，自然会经常感觉到时间紧迫，精神紧张。对于这种情况，人们习惯上这样劝慰当事人："别紧张！""有什么大不了的！"然而，这种办法几乎是行不通的，有时会使当事人感到更加不安。

对某一事情期望值过大、自我封闭等都会造成紧张情绪。当人们心情紧张时，不仅"情绪"上"张皇失措"，身体各部分的肌肉也会变得紧张僵硬。工作尽可紧张，但心情仍须轻松。当你肩负重任的时候，可以哼几句轻松的歌曲。在你写文章写累了的时候，不妨躺下来闭目养神。心情越紧张，工作越做不好。就好比一个口吃的人，当他悠闲自在地唱歌时，口吃也不见了；再害羞的人与他的爱人谈心时也一定会娓娓动听。要想身体好，工作好，就一定要有轻松的心情。

既然放松自己能克服紧张情绪，那么，怎么做才能使自己彻底放松呢？

（1）转移注意力。觉得紧张的时候，闭上眼睛，放松躯体，做个深呼吸，泡个热水澡，想想一天中最快乐的事情，使自己的注意力得以转移，情绪得以放松。如果有条件，可以去户外做一些自己喜爱的运动。紧张情绪往往是因为压力引起的，哪怕是暂时性的忘掉压力，也未必不是一件好事。

（2）向朋友倾诉。当你生活中遇到不开心的事情，如财产损失、婚姻破裂、亲人死亡等，会使你迅速进入强烈的紧张状态。这时，无论你怎样转移注意力都可能是白费工夫，与亲密无间的爱人和志同道合的朋友一吐为快，既可以倾吐痛苦和不快，又能得到对方的安慰和支持。

（3）积极地自我暗示。在生活和工作中遇到难题和挫折时，千万不要焦急，这时候的急于求成只会雪上加霜，并不能雪中送炭。静下心来，沉着应对，告诉自己“我是最棒的，我一定能找到解决问题的方法”“困难只是暂时的，一定会渡过难关”，这样，你便能稳定住自己的情绪，进而去寻找解决问题的途径。

（4）听听音乐。心情紧张的时候，找一首舒缓的音乐放给自己听，既是一种美的享受，更是一种对大脑的放松。当身心全部放松下来时，紧张的情绪自然也会放松下来。

5. 最受欢迎的，往往是“和气的人”

为人处世应以和为贵，有损别人面子的事情一定不要做，有损别人面子的话一定不要说。如此一来，才会有更多的人愿意和你做朋友。

生活中，人与人之间难免会发生争议，但你要谨记：切不可因为一点小事与他人争得面红耳赤。不管讨论什么内容，都不能因此伤了和气。如果发生了争议，正确的解决方法是与对方进行心平气和的沟通，互相交换意见，在相互理解的基础上实现和解与互助。

如果深信自己的想法、意见正确，希望他人接纳，那么请最好站在对方的立场上，在不伤害他人自尊的情况下，来说服对方认同你、接受你。

本·伯南克曾任美国联邦储备局主席，早年，他在普林斯顿大学担任经济和政治事务教授，并在1996年至2002年期间出任经济学系主任。担任系主任期间，他展现了其卓越的协调关系的能力。比如，他从不参与政治纷争，也不会轻视别人，而是善于听取不同的意见。在任教期间，本·伯南克让普林斯顿大学的气氛更加“和气”。

其实，以“和气”的方式来解决纷争，并不意味着要处处委曲求全，而是为了更好地解决问题，必须仔细听取对方的意见，做出适当让步，在谦恭的态度下谋求双方都能满意的解决方法。

在公开场合与人针锋相对，其恶果远甚于私底下双方的争论不休，因为这样会使对方产生强烈的抗拒心理，目的是维护自己的颜面。须知，一个人只要被对方揭穿缺点或被羞辱，就会与人反目成仇，并为此而不顾一切。因此，我们千万要记住，不可在公开场所伤了和气，互相指责或争论是非。

许多人际关系恶化的情形，往往都是因为照顾不到对方的这种心理诉求，结果为了一时的痛快而导致局面无法收拾，最终带来更大的麻烦。事实上，每个人都有自尊心，都有怕丢面子的心理，如果你今天因为有理或抓住了别人的弱点而使其难堪，那么日后对方也会如此对你。与其冤冤相报，何不选择和解呢？理解他人，也是帮助自己。

在生活中，我们应以“和气”对“火气”，“有理不在声高”，说话并非有棱有角、咄咄逼人才有分量。交谈中保持温和谦让，对人呈现出应有的尊重、宽容和理解，这样就会产生一种感化力，从而赢得对方的认同与感激。“火气”遇上“和气”，就失掉了发泄的对象，自然就会降温熄火。教育学家霍姆林斯基说：“有时宽容引起的道德震动比惩罚更强烈。”这说明，以宽容为特点的和气说法有很强的征服力。

人际交往中，难免会出现一些误会和伤害，还有可能出现僵持不下的敌对场面。如果一开始就进入敌对状态，仇人相见，互不相让，剑拔弩张，大动干戈，不仅自己无端伤神，还会使人与人的关系异常紧张。如果我们有一个博大宽广的胸怀，不计较恩怨得失，向对方主动承认错误，主动伸出热情之手，用真诚去打动对方，不仅能够化解仇恨，缓和矛盾，还会获得推心置腹的真心朋友。

富兰克林年轻的时候积蓄不多，为了得到更多资金，他利用为数有限的资本进行投资，与人合伙开了一家小印刷厂。因为印刷厂的规模很小，承揽的活儿不多，为了使印刷厂能够承揽更多固定的工作，他便想尽各种方法扩大业务规模，并为此当上了费城州议会的一名文书办事员。这样一来，他就可以获得为议会印文件的工作，从而借工作之便为他的印刷厂承揽更多业务，获取更大利润。

在他的努力下，事情很快有了起色。就在前景看好的时候，却形势逆转。当时，议会中有一个有钱又能干的议员杰恩，他对富兰克林产生了厌恶情绪，甚至当众斥骂。富兰克林对他的无礼和专横几乎无法忍受，在一次选举议员时出言冒犯了杰恩。随后，富兰克林被杰恩一怒之下打倒在地。朋友们准备好好地教训一下杰恩，却被富兰克林当场制止。

第二天，富兰克林给杰恩写了一封便笺，相约到一酒店见面。杰恩感觉有点凶多吉少，然而见面之后富兰克林却伸出双手："昨天是我不对，你的一拳已经得到了满足，如果你不计较，就请握住我的手吧！"杰恩顿时说不出话来，心里充满了愧疚。

过了几天，富兰克林听说杰恩的图书室里有一本稀奇而特殊的书，就又写了一封便笺给他，表示想要一睹为快，请求他把那本书借自己几天，仔细阅读一遍。杰恩收到便笺后马上叫人把那本书送来给富兰克林。过了大约一星期，富兰克林把那本书还给他，还附上一封信，信中向他表达了自己强烈的谢意。

于是，当他们再次在议会里相见的时候，杰恩居然打破惯例，跟富兰克林打招呼。这一次，杰恩很有礼貌。

从此以后，富兰克林得到杰恩的帮助，印刷厂承揽的生意越来越多，富兰克林也因此获得了一定的资本。杰恩也就成了他终生的好朋友。

人与人相处要和气，要有包容之心，要有海纳百川的胸怀，要用赞扬的方式与朋友相处，与父母相处，与爱人相处，与孩子相处。俗话说，金无足赤，人无完人，多发现身边人的优点，多赞扬；多包容身边人的缺点，即使需要批评的时候，也应做到坦诚地和颜悦色地批评，好让对方乐意接受，乐意改正。

人际交往中，无论你跟谁共事，要想创造辉煌业绩，首要条件是双方默契配合，共同合作努力。为此，你要严于律己，热情待人，努力营造愉快祥和的气氛。总之，掌握与人和平共处的技巧，是你日后事业成功的关键。

第五章

用耐心磨炼自己：熬过最难熬的日子，便是阳光满地

一个人忍耐力越强，心理素质就越好，成功的概率也就越大。我们千万不能让自己因为微不足道的小事而扰乱了心智，用耐心培养自己，磨炼自己，提升个人情商。学会乐观，学会幽默，学会营造快乐，学会轻松生活，吃得下，睡得香，想得开，远离忧愁、悲伤和烦恼，别让自己的本性受到损害，这样才会收获有意义的人生。

1. 状态不好的时候换个事来做

生活中无处不在的烦恼和无休止的忙碌好似橡皮擦，不停地擦去心灵的五颜六色；又好似铅锤，不断地给轻如蝉翼的美好时光施压。不会为自己的心灵放假，不懂得转移烦恼和压抑的人，终将被生活击垮。

生活节奏不断加快，社会竞争逐渐激烈，人们总是忙忙碌碌，丝毫不敢懈怠。即使压抑、烦闷、无助的时候，我们也总是强迫着自己不要停下来，总是告诉自己：在你洗脸的时候，时间就从你的指缝溜走；在你原地休息的时候，别人正在奋力攀登。我们每天如苦行僧一样，排除千难万险对成功顶礼膜拜，而成功似乎总是离我们越来越远。这时候，我们需要停下脚步，聆听自己的心灵，它是否已经不堪重负，需要适时的放松。

生活中不顺之事十之八九，人们总会被各种各样的事情打扰而烦恼忧愁，不要抱怨时运不济，只是你的心累了。心态不佳时，你就会用一双蒙上灰尘的眼睛看世界，天空不再湛蓝，河水不再清澈，骄阳下不再是姹紫嫣红，皓月下没有了蛙鸣虫唱，生活的美好在你的世界里将不复存在。不妨，抽出一些时间给心灵一次洗涤，让山林中叮咚的泉流，田野里醉人的稻香，绿荫间清脆的鸟鸣，荡清你心中种种的不快，或者去钓鱼、去打球、去品茶、去赏画，让静谧的时光慢慢抚平心中的褶皱。

状态不好的时候换个事情来做，远离了日常生活的单调性，把烦恼抛在脑后，放空心灵、放松心情，你就会感到人生的美妙与惬意。这时的心灵转移不会浪费时间，而是像砍柴前磨快斧头，远行前准备地图一样，是在积蓄力量，积蓄更好、更积极工作的力量。

伯克霍夫接手了一个非常棘手的案子，这是他十几年职业生涯中，接触到的最难搞定的案子。其实，这个案子本来不由他负责，但是，负责这个案子的同事花费了整整三个月的时间都没有拿下来，上司就把这件案子转移给了有着丰富经验的伯克霍夫。

其实，伯克霍夫在得知这项安排的时候是有怨言的。虽然他有丰富的经验，但是他认为，上司不能总是以此为理由把那些难搞的案子交给他来做。这些案子一般付出和收获是不成正比的。在上司的再三游说下，伯克霍夫勉强地接下了这个案子。当他认真地梳理这个案子的头绪时发现，完成这项工作需要费很大周折。

伯克霍夫试着先把简单的部分做好，可是他打了好几个电话都没有接通，他的心情一下子烦躁到了极点。他让助理为他沏上一杯提神的咖啡，他好继续工作。

助理说：“先生，我看您不如先把这项工作放一下，等心情平静下来再工作。”

伯克霍夫说：“这怎么可以？这项工作很棘手，我片刻都不能松懈。”

助理说：“先生，请您相信我。现在您的心情不好，工作效率肯定不好。倒不如先把心情调整好，然后精神抖擞地工作。”

伯克霍夫听从了助理的劝告，给自己放了一下午的假，来到郊区欣赏美景。这是他计划好几个月的事情，今天终于实现了。他和农场主攀谈，吃新鲜的瓜果，喝新鲜的牛奶，心情好极了。第二天，伯克霍夫的心情依旧很好。当他再回头想昨天的事情时，发现并不是案子过于复杂，而是自己的方法不对。就这样，伯克霍夫转移了坏情绪，这项他认为十分棘手的案子很轻松就被解决掉了。

经过长时间的紧张工作，产生疲倦厌烦的不佳状态时，我们需要在心灵转移中变换兴奋点。摆脱眼前的一切，挣脱例行公事的羁绊，远离原有的困境，放松身心，释放疲劳，我们的心灵会得到正面影响，我们将重新燃起心中的希望，从而以旺盛的精力重新投入工作。

状态不好的时候，不要再勉强自己。给心灵放个假，到山水中放逐自己，借助自然界一草一木的灵性来驱散心中的不快，或者用感兴趣的事情抚慰疲倦的身心，涤尽工作上、情绪上、思想上的烦累。换个事情来做，它赐予你的将是一片灿烂和希望。

2. 生命在于你历练了什么

生命，一个看起来多么鲜活的词语。生命是什么？一个很深奥很富有哲理的问题。生命中的每一个日子都很美丽，生命中的每一处风景都值得我们好好欣赏。比如，你可以想象无数株小草在随风摇曳，无数只小蚂蚁在田野觅食，无数个刚呱呱坠地的孩童在哭闹。

这些灵动的大概就是生命的象征。这些充满生机和活力的大抵就是生命的代名词。然而，仔细想想，生命的意义到底在于什么？请问，你知道吗？

生命是一条艰险的狭谷，只有勇敢的人才能通过，生命的意义便是在这艰险的路上磨砺；生命在闪耀中现出绚烂，在平凡中现出真实，生命的意义就是在这瞬息的荣辱间历练。总而言之，生命在于你历练了什么。

著名的博弈论大师纳什就体验过瞬息间的荣辱，给他的生命带来了非凡的意义。纳什在普林斯顿大学读博士时刚刚二十出头，年纪轻轻就发表了一篇关于非合作博弈的博士学位论文，确立了他博弈大师的地位。但是在纳什的事业如日中天时，不满 30 岁的纳什就患上了严重的精神分裂。纳什和他的妻子并没有就此屈服，反而以超凡的毅力度过了苦难的半个世纪。纳什的努力换来了奇迹，1994 年，纳什身体康复并获得了诺贝尔经济学奖。纳什经受了生命的历练并获得了人生的成功。

所谓生命的历练，最基本的意义是指经历的事情多而有经验，我们说生命在于你历练了什么，主要是说，在生命的历程中，你经历过种种好事或者坏事，这些事助你成长，帮你成才，是人生中不可多得的精神财富。

贝多芬是世界著名的音乐家，有着最糟糕的命运。童年的时候，他饱尝了折磨和苦难。当时，家庭穷困潦倒，父母关系紧张，造成贝多芬性格上的孤僻、倔强和独立，但是他的内心蕴藏了极其丰富的个人感情。由于在音乐上的天赋，12 岁的他就被人拿来同名垂青史的音乐神童莫扎特相比较。然而他愚蠢的父亲却急切地想利用这一点名气来赚钱，逼迫小贝多芬整天练琴和演出。在贝多芬的记忆中，他根本就没有享受过父爱，反而是父亲对他频繁的毒打让他记忆犹新，更糟糕的是才 14 岁的小贝多芬就要参加乐团演出并领取工资补贴家用。

上天又偏偏赐给贝多芬一副粗陋的外表，外加身材矮小粗胖，他的外貌使他从小便成为大家嘲笑和讥讽的对象，成年后也难以幸免。到了 17 岁，母亲病逝，家中只剩下两个弟弟、一个妹妹和已经堕落的父亲。然而祸不单行，不久贝多芬得了伤寒和天花，几乎丧命。贝多芬简直成了悲惨苦命的象征，他的不幸是一个孩子难以承受的。

然而，孩童时代的这些历练让贝多芬从小体会到了社会生活的不易，经历了苦难折磨的他，意志变得更加顽强。面对生活的苦难和压力，他并没有轻言放弃，而是选择了无畏的挑战。

实际上贝多芬最大的不幸，也是生命给他最大的历练，莫过于 28 岁那年的耳聋。先是耳朵日夜作响，继而听觉日益衰弱到最后完全失聪。从此，他孤独地过着聋人的生活，生命的全部精力都用于和耳聋苦战。

在贝多芬孤寂的世界里，唯一能给他安慰的只有音乐。耳疾期间，每当他作曲时，便把一根细木棍咬在嘴里，借以感受钢琴的振动，他用自己无法听到的声音，倾诉着自己对大自然的爱、对真理的不懈追求和对未来的美好憧憬。他的音乐作品《命运交响曲》就是在完全失去听觉的状态中创作和完成的，它的主题是反映人类和命运搏斗，最终战胜命运，诚然这也是他自己人生的写照。

贝多芬的生命意义在创作音乐和与命运顽强抗争的过程中历练，在这个过程中，他肯定也曾经迷惘彷徨，但他最终坚持下来并战胜了命运。

贝多芬说："命运就是这样敲门的。"他坚信"音乐可以使人类的精神爆发出火花""顽强地战斗，通过斗争去取得胜利"。

生命的一次次历练都足以给人启发，给人鼓舞，给人不断向前的动力。生命的一次次历练给人失败后的坚强和勇气。

大多数人都一样，既然是凡夫俗子，前进的路上也注定会风雨兼程，所以我们应每一次都做好应对挫折的准备，坦然面对生活的不如意。没有经历过磨难的人生不算完美的人生，没有风雨的洗礼，天空哪会出现彩虹。

生命的过程是一个历练的过程，其间既有成功的喜悦，也难免会有失败的阵痛。接受生命的历练诚然是我们不能改变的，但我们可以改变自己对于种种历练的态度，接受历练，战胜历练，这才是我们生命的真正意义。

生命的历练实际上就是经受锻炼的过程。生命中无时无刻不充满着历练，这需要我们摆正心态，勇于接受，乐于挑战，这样的人生才能精彩无限！不断积累经验，丰富知识，这样的人生才能成功。

3. 你的"抗挫折"能力有多强

哈佛大学医学家赫伯物·本林认为："当一个人的身心过分紧张时，他的机体免疫能力便会下降。"也就是说，过度的压力和挫折会给人的身心带来创伤。要想生存，要想过得更好，就必须学会应对挫折，增强自己的抗挫折能力。

虽然人们不可避免地要遭遇各种各样的困难，但只要能够鼓起勇气，坚持下去，不自暴自弃，用百折不挠的精神和执着的信念朝着目标迈进，终有一天能够摆脱压力的困扰，成就自己。

自己的路要自己走，不要让逆境毁了自己的前程。每个人的头脑中都应该充满积极的信念，绝不能被挫折击垮，更不要将别人挖苦、嘲讽的话放在心上。挫折不过是人生的组成部分，是攀登高峰时所必须经历的挑战。

美国著名电视节目主持人罗斯如今声名远播，但他的主持生涯也并非一帆风顺的，而是经过多年摸爬滚打，凭借出色的抗压能力，才成就今天的辉煌。

罗斯是一个对自己的未来有明确目标的人，很早就立志于播音事业，积极奔走于各家广播电台，但是很长时间里没人聘用他，原因是男性的声音不能吸引听众。尽管如此，罗斯并没有放弃。终于，他在纽约的一家电台找到了工作，但是，由于观念比较守旧，跟不上时代的需要，不久他就被辞退了。

没有了经济来源，罗斯的生活压力很大，可他始终坚持自己的理想。有一次，他去一家国家广播公司应聘，在与主管的交流中，谈起了对谈话节目的构想，而这位主管对此很感兴趣。而当罗斯准备好节目时，这位主管突然被调离了岗位，离开了广播公司，这无疑给满怀热情的罗斯泼了盆冷水。后来，罗斯再一次走进这家公司，向新上任的主管介绍自己的构想。令人欣喜的是，这位主管也夸赞这是个好主意，答应采用他的方案，不过要求他先在政治台主持节目。

这无形之中给了罗斯很大压力，因为他对政治知之甚少，害怕不能胜任。但多次失败的经历使他的抗压能力极强，他调整好心态，积极准备各种材料，不分昼夜地研究练习。终于，他的节目在第二年夏天开播了。在第一天的节目中，罗斯凭借多年的播音经验、平易近人的主持风格，大谈对 7 月 4 日美国国庆的感受，又请听众打电话发表见解。

这种让听众参与的方式引起了很多人的兴趣，一时间，罗斯主持的节目成为最受欢迎的一档节目。罗斯战胜多次挫折，一举成名。如今的罗斯已经创办了自己的电视节目，并担任主持人，观众达900万人之多。此外，他还多次获奖，成为美国电视事业上一颗璀璨的明星。

困难和挫折会削弱人的斗志，让人不愿面对工作和生活。我们有必要锻炼自己的抗挫折能力，减小压力对我们的影响从而释放自己，展现自己。人活一世，就要好好享受生活，享受生命。我们应该学习科学的减压方法，让自己的生活轻松起来。

首先，正确地评价自己，不要把目标定得超出个人的能力范围，根据自身条件，完成胜任的工作。

其次，要多与人交流，把内心的压力和烦恼倾诉出来，这样可以释放负面情绪，增强自信心。另外，还要多角度审视自己，挖掘自身的优点以弥补不足。

再次，我们应认识到应对挫折的能力可以分解为四个关键因素：控制、归属、延伸和忍耐。控制是指认清自己改变局面的能力；归属是指承担后果的能力；延伸是指对问题大小及其对工作生活其他方面影响的评估；忍耐是指认识到问题的持久性，以及它对你的影响会持续多长时间。

4. 驱除内心的无力感

受够了“朝九晚五”的枯燥生活，却没有改变现状的勇气；想辞职创业，却不知道从哪里做起；渴望变身行业精英，但是想到需要付出的艰辛努力，顿时灰心丧气……

当目标与现实之间存在巨大差距时，人们会不由自主地生出一种“无力感”，无力改变现状，无力达成自己的目标，于是不知不觉陷入“抱怨”“消极”的负能量怪圈。事实上，扼杀我们的往往不是残酷的现实，而是内心深处盘踞的“无力感”，它才是导致我们畏首畏尾、自卑、拖延的罪魁祸首。

阿森从小到大都是大家公认的好学生，他凭借自己的努力考入了竞争十分激烈的法律名校。毕业后，他在同学们羡慕的目光中进入一家颇有声望的律师事务所。那时候，他豪情万丈，憧憬着自己成为律师事务所合伙人的美好未来。

理想很美好，但现实很残酷，阿森在面对各类纷繁复杂的案件时常常感到非常无力。他想掌控全局，但常常是焦头烂额、疲于应付。久而久之，他的心理负担越来越重，直到他感觉自己再也无力背负这种沉重的心理负担了，索性让自己放松下来，于是便患上了严重的“拖延症”。

在外人眼中，阿森每天都很忙，但只有他清楚自己什么也没有做成，忙碌只是故意制造的假象。因无力改变现状而惧怕失败，因恐惧失败而导致拖延，每当庭审日期临近时，阿森就会陷入极度恐慌之中。因为他已经没有时间写案件小结了。

对此，阿森深感自己就像一个骗子，沉重的负罪感压得他无力喘息。再回想自己初入职场时的豪情壮志，他不无感慨地反省道：“我最大的追求就是成为一个伟大的律师，但是我的时间似乎都花在了担心自己能不能成为伟大的律师上，而不是实实在在地去做事。”

从心理学层面来讲，一旦内心生出无力感，主观能动性就会大打折扣，行动积极性也会随之大大降低。没有了行动的有力支持，任何目标和理想都会变成“镜中花”“水中月”。

那么，我们为什么会被“无力感”困扰呢？其实，这是“恐惧”“害怕”的心魔在作祟，现实和目标相差那么远，很难实现，所以我们被自己臆想出来的“困难”吓坏了、打败了。

人前进的动力主要来自对未来的期待、对成功的向往，如果不能克服对未来的恐惧之心，那么将失去前进的动力，在“无力”改变现状的纠结中苦苦挣扎，甚至陷入自责、愧疚的深渊无法自拔。

一个人想要成功，必须暗示自己能成功，并战胜内心的“无力感”。那么，究竟怎样才能祛除内心的这种“无力感”呢？

第一，直面现状。

人们之所以会有“无力感”，很大程度上是由于对“现状”不满。比如，穷人对贫穷的现状越是不满，就越想一夜暴富，幻想中的暴富与现实中的贫穷，两者巨大的差异会让人更加消极、挫败，从而产生无力改变现状之感。要想赶走内心的“无力感”，首先必须坦然面对现状，接受现实中的自己。

第二，适度期待。

人们常说“心比天高，命比纸薄”，越是妄想一步登天的人，其命运越曲折、悲凉，这种说法并非没有道理。从心理学角度来讲，当我们所制定的目标远远超出自身的能力时，就会产生严重的挫败感，从而变得消极，最终只会一事无成。

因此，制定目标一定要合理，对未来的期待要适度。此外，也不要过于看重结果，人生本就是一场旅行，前方的目标固然重要，但也不要忘了欣赏沿途的风景。

一个人的能力可以靠后天努力和学习提高，内心的“无力感”并不可怕，只要不断提升自身的能力，总有一天会战胜它。

5. 与人无争，就能亲近于人

有私心的人，不是难以击败对手，而是无法战胜自己。在私欲的蛊惑下，越难以做自己，就越难有所作为，因此，不如像水一样恬淡无为，顺势而行，反而会有所得。

“流水不争先”，是日本围棋高手高川秀格的座右铭。他在比赛时，总将阵形布置得像水一样柔弱，对方一放松，便放弃了警惕。然而，高川秀格在波澜不惊的阵形中蕴藏的杀机总能迅速击溃对方，这就是“以不争为争”的智慧。

宋代宰相富弼年轻的时候，有一次被别人告知：“某某骂你。”

对此，富弼笑答：“恐怕是骂别人吧。”

这个人又说：“叫着你的姓名骂的，怎么是骂别人呢？”

富弼说：“恐怕是骂与我相同名字的人。”

那位骂他的人听到这件事以后，惭愧得不得了。为什么惭愧呢？因为与自己一比，富弼的庄矜自重明显优于自己。

与人无争，就能亲近于人；与物无争，就能抚育万物；与名无争，名就自动到来；与利无争，利就聚集而来。祸患的到来，全是争的结果。与人无争，则人安；与世无争，则事安；人事勿争，则世界亦安矣。

中国古代思想家老子非常推崇这种精神，并告诫人们要贡献自己的力量，主动示弱。他经常观察江河湖海，从它们善于处下的情形，得出了两个有益的结论。

第一，圣人为了在民众之上，其言论必定谦下，不把自己的话放在比民众的话更重要的位置，不把自己写的文章作为圣旨宣读，不强迫民众遵照执行。

第二，圣人为了在民众之先，其自身利益必定置后。有了获取私利的机会，圣人会把自己的利益放在民众的利益之后，让民众先得利。

在与人相处的过程中，让大家感觉不到丝毫的压力，让大家不受到任何伤害，就会赢得拥戴。不去与人争执，还能减少不必要的麻烦。

关键时刻的进退可以决定一个人事业的成败，适时的妥协和退让是明智的选择，是成大事必备的素养。许多时候，必要的妥协和退让会让你的生活焕然一新。

第六章

静心：有烦心事时，先多往好处想想

人生的道路上，无论我们有多好的条件，失意的事情总是不可避免的。假如你经常因为烦心事而困扰，建议你静下心来，在笔记本上端端正正地写上“不要紧”三个大字，它可提醒你一切即将过去，新的一页随即翻开。

1. 所有烦恼都是自找的

人类的情绪千姿百态、多种多样，无论快乐、惊讶、恐惧，还是伤心、愤怒、厌恶，都是日常生活中不可缺少的插曲。然而，产生过多的负面情绪终究不是好事，它会让我们陷入无尽的烦恼中。

比如，听到一句攻击性或侮辱性的话，人的交感神经系统会兴奋起来，体内分泌出肾上腺素，然后心跳加快、血压升高，呼吸变得急促，随之产生愤怒。长期沉浸在负面情绪中，烦恼挥之不去，久而久之会影响身体健康。

33 岁的约翰·D. 洛克菲勒赚到了人生第一个 100 万美元。43 岁，他建立了“标准石油公司”，日后发展成世界最大的垄断企业。然而53岁那年，他却因为焦虑、恐惧和高度紧张，身体健康每况愈下。

当时，洛克菲勒患上了严重的失眠症，而且消化不良，精神趋于崩溃。医生警告他，必须在死亡和退休之间做出选择。最终，洛克菲勒选择了退休，并下决心“不在任何情况下为任何事烦恼”。

遵守这一生活准则，洛克菲勒保住了自己的性命。他不再忙于工作，学会了打高尔夫球、唱歌、和邻居聊天，有时间还会打理后院。此外，他还坚持做一些更有意义的事情——把数百万财富捐出去，为更多的人提供帮助。

得知密歇根湖岸边的一家学校因为抵押权而被迫关闭，他立刻展开援救行动，最后将它建设成举世闻名的芝加哥大学。

洛克菲勒尽力帮助黑人，也帮忙消灭十二指肠寄生虫。后来，专门成立了一个庞大的国际性基金会，致力于消灭全世界各地的疾病、文盲及无知。在他的资助下，医学界发现了盘尼西林，并进行了多项技术创新。

当“标准石油公司”被政府勒令支付史上最重的罚款时，洛克菲勒只是淡淡地说：“哦，不用担心，我正准备好好睡一觉。”没有人能想到，多年前他曾因损失150美元而卧床不起。

这就是洛克菲勒，经过不懈努力终于克服了人生烦恼，并开创了“死于”53岁，但一直活到98岁的传奇。

真正的快乐与财富、地位、权力没有直接关系。恰恰相反，过分追逐名利、陷于繁杂的事务中会令人情绪失衡、身心疲惫，终日与烦恼为伴。保持良好心境与合理欲望，把烦恼抛在脑后，平日里大部分负面情绪会随之化解，整个人也会变得轻松自在。

心理学家做过一个实验：每周末的晚上，被测试者把未来7天担忧的事情写下来，然后投入一个纸箱里；三周后，心理学家打开纸箱，与被测试者逐一核对每项烦恼，结果其中 90%的担忧没有真正发生。

随后，心理学家让每个人把 10%的担忧重新丢入纸箱中。又过了三周，再次查看以前担忧过的事，并寻求解决之道。结果，大家开箱后发现，剩下 10% 的烦恼已经不再令人忧虑了，因为他们已经有能力应对了。

可以毫不夸张地说，烦恼都是自找的。据统计，生活中的忧虑有 40% 属于过去，有 50% 属于未来，而 92% 从未发生过，剩下的 8% 都能轻松应付。

每个人都有七情六欲和喜怒哀乐，烦恼也是人之常情。但是，每个人对待烦恼的态度不同，所以各种负面情绪对人的影响也不一样。积极乐观的人很少自找烦恼，而且善于淡化烦恼，所以活得轻松、洒脱；而消极悲观的人喜欢自寻烦恼，纠结于某些人和事，终日闷闷不乐。

美国心理治疗专家比尔·利特尔研究发现，习惯把别人的问题揽到自己身上，沉浸在不可能实现的梦里，把矛盾和困难扩大化，盯着消极的一面不放……这样的人经常自寻烦恼，陷入消极的情绪状态中。

人生少不了各种麻烦，但是万万不可自寻烦恼。一旦遇到不顺心的事，不妨勇于承认现实，努力看开一点，积极寻求解决之道，重拾快乐和幸福。请记住一句话：烦恼就像天空的乌云，如果心中是一片晴空，那么它不会对你产生任何影响。

2. 淡是人生最深的滋味

人生好比一道菜，你给它加上盐巴，它就是咸的；你给它加上蔗糖，它就是甜的。每种菜都有其独特的味道，不能掺杂其他滋味，否则就难以下咽。人生多姿多彩，而它最真实的一面是平平淡淡。可以说，“淡”是人生最深的滋味。

在我们身边，许多人苦苦寻觅幸福，却不知道幸福其实就在身边。

罗曼·罗兰说得好："一个人幸福与否，决不依据他获得了或是丧失了什么，而只能在于自身感觉怎么样？"有的人在别人看来一定很幸福，却承受着功名利禄之苦；有的人过着粗茶淡饭的日子，但是非常知足。能从一朵花中感受到蜂蜜的甘甜，能从一片落叶中领悟到秋景的美妙，这样的人生最值得称颂。

轰轰烈烈的爱情，美丽的容颜，都经不起时间的洗礼。最终，甜蜜的爱情归于平淡，倾世的容颜也会老去。经历了风雨，人生的最深滋味恰恰在这个时候被熬制出来。归于平淡的爱情和承受岁月洗礼的容颜正体现出生命的真实与厚重。

克劳斯经营着一家平面设计公司。大学毕业后，他把全部心血都倾注到事业上。十几年过去了，公司已经成为业内翘楚，他的名字也出现在各大媒体杂志上。克劳斯开着名贵的跑车，住着奢华的别墅，频繁参加上流聚会，接受各种媒体专访，一时间被各种光环笼罩。

唯一不顺心的，是与交往了四年的女朋友艾拉最近分手了。而对方给出的理由是，如此奢华的生活让她感到不真实，她宁愿回到大学时代分享一包泡面的快乐。克劳斯非常不解，名贵的葡萄酒不是比果汁要好喝得多吗？硕大的珍珠难道比不上一颗不起眼的玛瑙？

随后，世界性的经济危机让克劳斯的公司遭受重创，同行间的恶意竞争让他一夜之间成了穷光蛋。一切都来得那么突然，克劳斯根本无法接受，只能用酒精来麻醉自己。这时候，艾拉回来了，还带来了她已怀孕的喜讯。

克劳斯带着女朋友来到了消费水平很低的乡下定居。为了养家糊口，他找到了一份邮递员的工作。每天上班，他会接触不同的人，给他们带去盼望已久的杂志和信件，收获一句句真诚的感谢。晚上回到家中，艾拉就已经把饭菜做好，饭菜很清淡，他也能吃得有滋有味。

乡下的生活让克劳斯感受到了从未有过的幸福。这时候，他才懂得，有时候一包普通的泡面、一杯简单的果汁才是人生最深的滋味。

路边当众拥吻的情侣有他们的快乐，相互搀扶的蹒跚老人也有他们的幸福；山珍海味是一种快乐，粗茶淡饭也是一种幸福。幸福来自人的心灵，当你以一种简单的态度面对生活时，鸟鸣虫唱、风淡云清都能带来莫大的满足。

平淡是生命的主色调，当我们以一种简单的心态应对一切时，就会发现平淡无奇的深处也蛰伏着惊人的美丽：那湛蓝天空中飞过的一只白鸽，那夏夜荷塘里惊起的一声蛙鸣，那月亮下的花影，那路灯下的流浪狗，那菜市场的人声鼎沸，那厨房里的锅碗瓢盆，无不令人怦然心动。

3. 从周围环境中寻找生活乐趣

真实的生活中，永远是有人欢喜有人愁。不幸和悲伤难以避免，但是如果有一颗找乐的心，烦恼就会少很多。无论面对怎样的人生境遇，都能努力发现身边有趣的人和事，自然无暇顾及那些不开心的事。许多时候，生命的价值不在于你拥有什么，而在于你能发现什么。

美国著名小说家马克·吐温被人称为幽默大师，他善于捕捉生活中不起眼的小事，并用奇妙的语言将其转化成逗乐的趣事。有一次，马克·吐温准备到一个小城市旅游，临行前几个朋友提醒：那里的蚊子特别厉害。

到达目的地之后，马克·吐温来到一间旅馆登记入住，一只蚊子竟在眼前飞来飞去。经理看到这一幕十分尴尬，担心客人立刻转身走人。不料，马克·吐温丝毫不放在心上："你们这里的蚊子还真是聪明，竟然提前记住我居住的房间，以便晚上光临。"众人听了哈哈大笑，经理长出了一口气，马上命人想方设法消灭旅馆内的蚊子。

看见别人过得潇洒快乐，就抱怨自己是世界上最不幸的人，这其实是庸人自扰。其实，在哪里工作、生活都一样，重要的是你如何工作、生活。善于从周围环境中寻找乐趣和价值，这样的人已经掌握了生命的真谛。笑对生活的人并非生来工作顺利、家庭幸福，他们努力接纳周围的环境，并与之融洽相处，从中寻找生活的乐趣，所以显得风趣、优雅。

1944 年，罗斯福第四次连任美国总统。在一次酒会上，记者借机采访他，询问连任总统有何感想。听了记者的提问，罗斯福笑而不答，只是请对方吃一片三明治。

记者觉得这是殊荣，于是很快就吃下去了。接着，罗斯福又请记者吃第二片三明治；虽然肚子已经没有饥饿感了，但受宠若惊的记者仍然硬着头皮吃下去了。随后，又接连吃了几片。最后，罗斯福笑着说："现在我已经不用回答您的提问了，因为您已经有了切身的感受。"

面对记者提问，罗斯福没有急于给出答案，而是顺势请记者品尝旁边餐桌上的三明治，接连吃了好几次。随后，他反问记者的感受，来回答自己连任总统的体验，显得趣味十足。罗斯福没有抱怨记者的纠缠，略加思考就从周围环境中找到了解决问题的良策，表现出了应对考验的乐观态度与灵活性。

悲观者不论生活多么有趣，都看不到希望；乐观者即使身处逆境，也能化腐朽为神奇，让坏事变成值得消遣的乐事。学会感恩生活，从每一个小细节体悟生活的真谛，不断挖掘事物背后的意义，就容易一点一点地改变消极的心境，成为积极乐观的人。

一位将军和一位法官相约到森林里打猎。寻找猎物时，一只白兔从两人眼前飞奔而过。法官马上对将军说："那只白兔被判了死刑。"说完，便举起猎枪瞄准，可惜没有打中，白兔一蹦一跳地逃走了。

看到这一幕，将军笑着对法官说："它好像对你的判决并不服气啊，估计跑到最高法院去上诉了。"

看，生活中值得开怀大笑的事情有很多，只要抱着一颗乐观向上的心就能发现更多乐趣。当逆境来临时，别悲观沮丧，而应迅速振作起来，沉着应战。调动全部的热情，把自己看作解决问题的行家，你就能发现许多有趣的人和事，感受到生命的美好。

4. 从“心”开始，遇见未知的自己

好莱坞大片《阿甘正传》曾感动了无数人，故事的主人公阿甘并不聪明，他的智商只有 75，远远低于正常人水平，但他却战胜了同学的歧视和侮辱，成功进入大学，在越南战场中成为英雄，在乒乓外交的球台上获得国会勋章，并最终拥有了自己的捕虾船，成为亿万富翁。

很多时候，我们不能成功，并不是因为不够聪明，也不是因为缺少背景，而是我们从未真正认识过自己。你是否思考过：自己是一个怎样的人？自己的优势和缺点在哪里？如果生命只剩下三天，你最想做的是什么？你为什么而活，什么时候最有激情……不识庐山真面目，只缘身在此山中，了解别人容易，但要想认识未知的自己却不容易。

邓小会是一个精力十分旺盛的女生，她总是被新鲜、有趣的事物所吸引，看到“商务翻译”很光鲜，就立即报名去商务英语班学英语，听到韩国留学生一口流利的韩语时，紧接着又去学韩语……不过，她做事总是耐力不足，不管是商务英语的学习还是韩语的学习都是“三分钟热度”，最终以“半途而废”收场。

毕业工作，邓小会从没有想过：自己擅长什么，自己想做什么工作，怎样的职业才能扬长避短……而是一心想找一个稳定、无压力的工作。她先后做过行政、客服、会计，但无一例外很快就厌烦，并转战其他行业。转眼五年过去了，其他同学在各自的行业都小有所成，而小会却依然在不停地换工作、转行业的路上越走越远。

随着时间的流逝，与同学之间的差距越来越大，邓小会内心痛苦而又无助，这时一位职业规划师的话给了她启发，“你是一个没有耐心的人，但偏偏非要去做需要耐心的工作，怎么可能会一帆风顺呢？”

一语惊醒梦中人，邓小会从此开始深入内心地认真思考：我是一个怎样的人？我适合怎样的工作？我应该怎样规划自己的职业与人生？

三个月的“自我认知”和思考后，邓小会重新定位了自己的职业发展道路，并成功应聘到一家娱乐媒体做记者，旺盛的精力，对新鲜事物永不厌倦的性格，让她在娱乐行业如鱼得水，仅仅用了两年时间，她就成了一个小有名气的娱乐记者。

如果不能充分地认识自己、了解自己，那么从一开始就会选错“前进”的方向。明明极富创意和想法，却非要去做不断重复的枯燥工作；明明肢体不够协调，还非要在体育领域奋斗成为知名运动员，怎么可能会不碰壁呢？

要想找对通往成功的路，就一定要认识“未知的自己”，深刻地了解自己内心，洞悉自己的潜在能力。那么具体来说，我们如何才能看到一个更真实、更客观、更立体的自己呢？

方法一：SWOT 分析法。

SWOT：S 代表 strength，即个人的优势；W 代表 weakness，即个人的劣势；O 代表 opportunity，即机遇；T 代表 threat，即存在的风险。这是现代企业用于分析自身实力的一种常用方法，能够简单快速地帮助我们找到自身的优点和缺点，从而为扬长避短，改正缺点提供必要的参考。

方法二：自我分析法。

深呼吸，让自己充分冷静下来，放空思绪与自己的内心对话：我是怎样一个人？可以在纸上分别列出两组反义词，如热情—冷漠、自信—自卑、勤奋—懒惰、积极—消极等，然后客观理智地进行一项一项的勾选，那些勾选出来的形容词，组合起来就是一个真实的自己。

方法三：问卷调查法。

一个人对自身的认识往往带有很大的主观性，有时候并不客观，如果担心“当局者迷”，我们不妨做一个关于自身性格、脾气、优点、缺点等的小问卷，然后求助身边的朋友、家人、同学、同事等填写问卷。征求大家对自己的看法、评价，周围人对你的认识，往往要比你对自己的认知更客观、透彻，这项小调查能够非常有效地帮助我们认清自己。

你必须认清自己，知道自己是一个什么样的人，才能把自己摆到正确的位置上去，否则，只会做得越多，错得越多。人只有先找到那个“未知的自己”，才能更好地激发潜力，创造不可能的奇迹。

5. 沉住气，人生没有翻不过的山

在人生旅途上，每个人都要受到命运之神的捉弄，它让你烦恼、痛苦、屈辱。面对人生的沧桑，许多时候是无能为力的。这时候，你要沉住气，坚守内心的理想，迎接转机。

控制自暴自弃的冲动，不选择逆来顺受、消极颓废，也不逃避事实、胆小怕事。那么，你就能不屈于命运之神的诱惑，在沉默中悄然立下远航的信念。

沉住气的人可以把难熬的寂寞、怨愤、艰辛强压在心底，不会倾斜心灵的天平；他们也会相信寒冰终能解冻，春天必会来到，暴风雨过后的天空更加美丽。倔强的心灵在低调中熬炼，坚强的意志在忍耐中生成，强大的爆发力在忍耐中积蓄。

如果你能沉住气，即使面对人生的无奈也能守住阵地，迎接新的转机。反之，遇事沉不住气，做人太情绪化，不利于成就事业，只会让你错失良机。

最近，杰克的公司发生了一件离奇的事故——有人在电梯里遇难。据说，死者的表情很惊恐，像是被吓死的。结果，这件事情传得沸沸扬扬。

有人猜测，检修人员失误才导致这次事故；还有人猜测，可能是因为当时停电了，然后被困在电梯里，因为缺氧导致死亡。不管什么原因，一个鲜活的生命消失了，的确是一种遗憾。

最后，调查人员给出了结果，这个人是因为惊吓过度，导致突发心脏病猝死。也就是说，当时一下子陷入黑暗，又无法自救，当事人因为过分惊恐遇难。

遇事慌乱的人，失去了最基本的理性分析和判断，又如何迎接更艰巨的挑战和考验呢？无论面对怎样的危难，都能处变不惊，才能妥善应对眼前的一切。

人生在世，一步一步向前走，其实就好像爬山一样，当你筋疲力尽地爬到山顶，以为接下来就是平坦大道，也许出现在眼前的是一片沼泽。难道因为害怕就不走了吗？不，请继续坚定地走下去。沉住气，保持情绪稳定，更伟大的胜利在等候你。

福楼拜曾经对学生莫泊桑说："天才，无非是长久的忍耐！努力吧！"高耸的丰碑、辉煌的业绩都诞生于忍耐之中，生命的负债往往正是生命辉煌的开始。当你陷入痛苦的深渊又无法扼住命运的咽喉时，要心平气和地接纳当下所处的弱势，然后发愤图强，争取早日冲破牢笼。

即便前面是沼泽，沉住气，想想办法，一样可以一步一个脚印地蹚过去。最重要的是有一颗淡定的心，学会在忍耐中锲而不舍地追求，学会不屈服于种种障碍，继续不停地做自己分内的工作，从而笑到最后。

沉住气的人能有效控制情绪，不被外界打扰心绪，所有的痛苦都能够在忍耐中得到淡化，所有的眼泪都能够在坚忍中化作轻烟。这样的人生，想不精彩都难！

第七章

情绪释放：能让情绪收放自如，便让生活得心应手

负面情绪总是有的，它是一种人生常态，与性格、能力、收入没有关系。这些情绪如果不及时排解，会对身心健康造成负面影响。出于本能的自我保护，我们都盼望有一个合理的出口，能把各种负面情绪释放出来。

1. 寻找积极情绪的“情绪转换器”

英国最有名的心理分析学家海德费在他的《权力心理学》一书中曾这样写道：“我们感到的大部分疲劳，都是心理影响的结果。实际上，纯粹由生理引起的疲劳是很少的。”忧虑、紧张、不安、焦虑等心理负面情绪正是造成我们“疲劳”的罪魁祸首，所以要想保持工作的高效率，减少消极情绪给我们带来的“疲惫感”，就必须主动寻找积极情绪的“转换器”。

人们在工作当中往往会有这样一种奇怪的想法，即相信越困难的工作就越得用力做，否则肯定会做不好，但是这种对工作的认知却并不正确。

过度紧张、坐立不安、表情痛苦，这是一种坏习惯，地地道道的坏习惯。集中精力，让每根神经都紧绷起来，让每一个细胞都变得用力，实际上这样的做法除了让我们感觉到紧张、焦虑外，对我们的思考并没有任何正面促进作用。

威利在公司以“轻松”“高效”的工作状态而著称，哪怕是面对很难搞定的工作，他也总是一副笑眯眯的神情，在他的脸上很少能看到“完不成工作”时的凝重，面对困难时的纠结，面对抉择时的坐立不安，即便是明知道接下来会被批评，他也从不会哭丧着整张脸。

实际上，威利在公司的职位并不低，所负责的工作不仅非常多，而且大多都比较重要，但与威利同等级别的同事往往整天都是愁眉苦脸，一遇到重大事件就坐立不安，恨不得一天变成 48 小时，实际上现实中的绝大多数人也是这样，因此威利的工作态度就显得十分“鹤立鸡群”。

当大家看到威利用“轻松”的状态做出非常的成绩时，都非常惊诧，纷纷向他请教经验和技巧，威利非常无私地分享了自己的做事秘诀，“我知道，很多人都不赞同像我这种轻松的工作态度，认为对工作没有足够的重视，有些玩世不恭。但实际上，带着积极的情绪工作远远比苦大仇深地思考更有效率。千万不要把工作看成一种负担，我们完全可以转换情绪，以一种轻松享受的姿态去工作。”

积极情绪所带给我们的正面影响力远远不止如此，那么，在现实生活中，我们如何才能找到积极情绪的“转化器”呢？

（1）幽默

一个幽默风趣的人很少会被负面情绪包围，要想把坏情绪转化成好情绪，不妨多学一点幽默的艺术。与人交谈陷入尴尬时，公开演讲不小心出糗时，在公共场合与陌生人搭讪时，幽默就是最好用的“道具”，它不仅能够帮助我们化解尴尬，赶走坏情绪，还能促使我们树立积极乐观的观念。

（2）自嘲

当我们被批评、讽刺、嘲笑时，情绪自然会随之变得糟糕，愚笨的人只能在他人不怀好意的“哄笑”声中落荒而逃，而聪明人则懂得借助“自嘲”来化被动为主动，化负面情绪为正面情绪，从而开启情绪转换器，瞬间恢复元气。

（3）微笑

微笑具有非常神奇的力量，不论你多么难过，不论你遭遇了什么，请多笑一笑。微笑能够治愈我们心理上的伤痛，赶走坏情绪，正如人们常说的“笑一笑十年少”，喜欢微笑的人，即便身陷绝境，情绪也不会太差。

2. 有想法应说出来，别总压抑着

作为一个独立的生命个体，人在应对纷繁复杂世界的过程中，难免会萌生各种想法：学习上遇到困难，工作中受到挫折，恋爱失败，家庭遭遇变故，各种各样的应急事件会附带出一系列的问题等你去解决。这时，不同的人会有不同的应对方式，有人会积极寻找倾诉对象，有人却总是保持沉默。

心中有了想法却选择沉默是危险的。因为，在应急事件中带来的负面情绪会产生焦虑，如果得不到及时疏导，焦虑感就会以一种能量的形式在你心里积聚下来，当这种能量达到某个临界点时，你的心理防线就会彻底崩溃，这时的你极可能患上抑郁症，甚至精神失常。所以，有了想法一定要倾诉出来，别总是压抑在心里。

倾诉，就是把你内心的真实感受清楚地告诉另一个人，不管你的想法是好的还是坏的。在这个倾诉的过程中，你的心灵将会得到解放，你会有如释重负般的感觉，心灵也会感到异常轻松。而如果选择把所有的事情都深藏在心底，就无异于在自己的心灵上压了一把沉重的枷锁，这样的生活怎么可能会快乐起来呢？

有数据统计，女人的平均寿命要比男人的长，经科学研究，这与女人爱唠叨的特质分不开。女人爱倾诉，她们心中一旦有了某种想法，总是会想方设法地把它讲给他人听，尤其是自己的爱人，而且，她们总爱唠叨自己的喜怒哀乐、爱恨情仇、家长里短等。女人比男人善于把不良情绪通过言语倾泻出去，这也是清除体内毒素的良好方式之一。相比之下，大多数男人有了想法尤其是烦恼的事只会憋在心里，甚至寄希望于喝酒发泄，结果只能是借酒浇愁愁更愁，且伤害了自己的身体。

有人说："有了想法或烦恼的事不说出来，证明我有自控力。"其实，真正的自控力是建立在接纳和引导的基础上的，而不是粗暴地压抑和排斥。如果我们不想戴着"镣铐"太难受地跳舞，只有一种办法，那就是将心中的想法勇敢地说出来。

很多人对自己的控制力没信心，其实是对"控"字的理解不到位，自控力的"控"不是束缚和压制，而是引导。能够压制内心强烈的欲望和想法，看似坚强，实际上并不是自控，而是压制，被强制压抑的情绪和想法总有一天会像火山爆发一样，即便不爆发，也会把自己憋出病来。比如，加重易怒、紧张、烦恼等消极情绪，甚至引发失眠、头疼、无食欲、心慌、呕吐等生理问题。为了维持心理和生理的平衡，我们要学会给心理减压。高情商者在心中有想法时，都是及时倾诉出来而不是压抑情绪。

正确的做法是找一两位知心朋友交流、谈心，也可以找网友聊天，或者对着家里的小宠物、一件静物说说话，将自己的想法或心事倾诉出来，烦躁感就能逐渐被消除。

有时候，一件事情站在我们的角度看是一件坏事，可站在他人的角度看却是一件好事。所以，有想法时向朋友倾诉，让对方帮我们分析一下想法的好坏，并耐心地说出其判定的理由。心中的想法得到了倾诉，我们的心情就会变得无比轻松。

把你的想法说出来，不一定要讲给特定的人，但一定要形成声音。你甚至可以选择一片无人区域，比如一片树林、公园的一个角落，哪怕是公司的卫生间，都可以完成这一步。

3. 心情不好时寻找感谢的理由

生活中不如意事十有八九，这些情绪很容易集结成一个个长时间无法逾越的心理鸿沟。因此，抱怨变得随处可见：抱怨父母过分管制，抱怨领导严苛要求，抱怨家庭琐碎繁忙，抱怨社会复杂不公。

怨愤情绪常常积于胸中，让人整天愁眉不展。是因为人们缺少理解之心吗？是因为人们缺少进取之心吗？其实都不是。根本原因是因为人们缺乏感恩的心。只盯着事情的晦暗面，而从不主动发掘事情背后的光亮面，只抱怨自己所失，而从不感谢自己所得，怎么会有快乐呢？

美国肯塔基大学的大卫·斯诺登教授曾以同一家修道院的修女为研究对象做了一次实验。在修道院里，大家的生存条件和生活条件是一致的，甚至连接受的思想都是无差别的。但是，这些修女看待世界的视角以及感受快乐的能力却是不同的。

其中有两个修女，分别对过去一年的修道院生活做出了总结。其中一位修女这样写道："在圣母修道院作为预备修女的这一年，我接受了很多思想和精神的洗礼，领悟了很多人生和自然的真理，我感到非常幸福。所以，我期盼未来的日子，我能开启出更多的智慧与快乐。"

另一位修女则是这样写的："我迫于世俗生活的苦难和压力来到圣母修道院，现在已经一年过去了，我虽然被灌输了很多的知识和思想。

可是过去家庭的遭遇却并没有因此而改变。我依然不知道未来的希望在哪里。”

两个修女的总结有什么不同？第一个修女积极乐观，充满着喜悦和期盼；第二个修女字里行间充满了悲观和抱怨，没有因为收获知识而感激，反而更加感慨无法改变的过去。

这两段总结代表了什么？代表的是两个修女的心态和视角，以及透过这个视角所折射出的世界。快乐其实就是这么简单，心中有希望的人，看到的自然就是希望，心中有满足的人，感受到的自然就是快乐。

生活的戏弄或者社会的压力，乃至人际关系的芜杂，确实带来了很多心理负担。但是，这就理应成为人们不快乐的理由吗？凡事都有两面性，难道不能从中发掘出有利的、值得感恩的一面吗？

印度诗人泰戈尔曾说：“没有岩石的碰撞，哪来浪花的美丽？”在奔流不息的生命之河中，试着以感激之心对待那些坚硬的拦路石吧，正因为它们的击打，才绽放出了生命中一朵朵美丽的浪花。

人生不可能一帆风顺，当你的付出没能换来同等的回报时，不要怨天尤人，而应把痛苦化作前进的动力。感谢遗弃你的人，是他们教会了你要独立；感谢欺骗你的人，是他们增长了你的阅历；感谢伤害你的人，是他们磨砺了你的心智。

4. 适度发泄坏情绪，轻装上阵

你的坏情绪可能是愤怒、生气、愁苦、郁闷，它们像乌云一样遮盖住了阳光，让你的生活从此暗淡无光，让你的人生消极颓废。当坏情绪越积越多，就像充足了气的气球一样随时都有可能爆炸，因此无论是哪种坏情绪你都不能长久地积存在心中，需要及时地发泄出来。每个人都有心情不好的时候，偶尔的生气和愤怒并不是件坏事。但如果长久地压抑自己，不将自己的坏情绪发泄出来，就会损害自己的身体。

当你产生坏情绪时，心中的愤怒无处发泄会让你抑郁成疾。愤怒产生的原因很复杂，往往不是独自存在的，经常是被其他情绪所引起的。虽然愤怒无法避免，但是我们要做的不是压抑它，装作无事发生的样子，而是要找到引发愤怒的情绪，在愤怒之前消除不良情绪。从心理学的角度来看，时常压抑情绪会损害健康。有调查表明，压抑愤怒情绪表达会导致死亡率飙升，在夫妻双方都压抑愤怒情绪的夫妇中，妻子因为心脏病而死亡的可能性高达11%。但如果人们能把心中的愤怒情绪宣泄出来，这个致死的危险率可以降至零。

王娜是一家公司的小职员，由于职位不高，相貌也不出众，她每天都要受到男同事和上司们的嘲笑和轻视。一次，王娜正在办公桌前处理文件，一个新来的男同事走过来，对王娜很无理地说道："王娜，你有空吗？去帮我接杯咖啡。"王娜正忙，头也没抬地回道："对不起，我现在正忙呢，你自己去接吧。"谁知那个新人听完这话，非但没能识趣地走开，反而用言语侮辱王娜，说她不识抬举。

生气的王娜终于忍无可忍，她暗自下定决心，一定要离开这家是非不分的公司。临走时，王娜很生气地用红笔把每个人的名字写在纸上，并且把他们的缺点一条条地列出来，然后对着这张纸将他们骂得体无完肤。骂完之后，王娜觉得怒气全消，心情也舒畅了不少。冷静后的王娜决定不辞职了，继续留在公司里。

从那以后，王娜一旦碰到不顺心的事情就会采用这种方法，把满腹的牢骚、怒气全都写在纸上，然后将它们揉烂扔进马桶里冲个干净。每次这样干完之后，王娜都觉得一身轻松。也正是靠着这个方法，王娜的人际关系也渐渐得到了改善，她不再像以前那样觉得身边都是坏人，而是把他们都当成朋友来看待。就这样，王娜的事业也蒸蒸日上，终于崭露头角，连连晋升。

其实，糟糕的情绪会对我们的生活、事业、人际关系造成严重影响，如果我们拥有了坏情绪不及时地发泄，那么造成的后果不堪设想。日本的科学家曾经做过一个调查，发现有近 80% 的人会选择大哭一次来释放心中的情绪。哭泣在一定程度上可以释放心中的不满，调节心理情绪，释放情感压力。哭对人的身体是有益的，尤其是从心理健康的角度来讲，如果你懂得用哭的方式来宣泄情绪，那么你会瞬间觉得轻松许多。

美国的心理学者曾经对数百名实验者做过跟踪调查，他们发现，当人们内心不悦时，痛快地哭过一场后会觉得比哭之前舒服许多，自己的健康也得到了改善。当我们的情绪在极度压抑的情况下时，体内会产生大量危害身体健康的生物活性成分。而哭过之后，情绪悲伤强度会降低一半，但如果我们故作坚强，强忍住负面情绪不发泄的话，往往会导致许多心理、生理上的疾病，比如结肠炎、胃溃疡、抑郁症等。

尽管哭泣对身体是有益的，但是也要注意时间的限制。哭泣的时间不可太长，当你压抑在心中的情感得到释放后，那么你就可以停止哭泣了，否则将会影响身体健康。因为人的肠胃机能对情绪起着主导作用，当悲伤的情绪超过一定限度时，胃的运动机能就会受到损伤，引起胃液分泌减少，食欲不振等不良后果。同时，在情感宣泄时也要注意适度原则，不要一遇到不顺心的事情就选择用哭泣来解决。

古人曾经说过：忍气者易衰，忍忧者易伤。可见，该哭泣的时候，我们还是要哭，尽量地发泄心中的不满和不快，用眼泪洗刷心中所有的不悦。当你身陷困境之时，当你充满了负面情绪的时候，不妨大哭一场，用这种方式来宣泄所有的不满，哭过之后，便能轻装上阵，以饱满的精神迎接生活。

5. 赶走忧郁，让心灵回归到阳光之下

每天都担忧天会不会塌下来的杞人很愚蠢，但实际上我们又何尝不是一个忧天的杞人？担心食物含有太多的添加剂，很可能会致癌；担心所在的公司会不会因为经营不善而倒闭；担心自己很可能会在未来的某一天失业；担心走在马路上会不会出车祸；担心自己年老后会不会孤苦无依……

据相关数据显示，近些年来，抑郁症患者数量激增，越来越多的都市人都处在心理亚健康状态。压抑、抑郁、忧郁已经成为每一个成年人都不陌生的“名词”，没有一个好心态怎么可能会有一个好未来，很多时候我们会失败，不是败给了强大的竞争对手，而是败给了自己的忧郁消极心态。

李翰是一个小有名气的企业家，早在他 30 岁时，就已经成了百万富翁，随着事业越做越大，他的工作也越来越忙。

每天 7 点准时起床，8 点到公司后一直忙于各种各样的工作，中午和晚上还有各种各样的宴会、应酬等，常常是晚上十点钟之后才能回到家中，即便是周末、节假日也不能正常休息放松，只要手机一响，有事情就要急奔公司。

年轻的时候，李翰觉得这样的工作状态十分充实，尽管劳累，但看着自己的事业蒸蒸日上，自然是喜在心头。可是到了 40 岁时，李翰的公司旗下光子公司就超过了十家，哪怕是审批签字以及各级会议都忙不完，更不用说还有其他应酬以及突发事件，李翰逐渐感觉到了力不从心，整个人也从年轻时的意气风发变得精神紧张、压抑。

失眠、头疼、掉头发，再加上经常没心情吃饭、不按时吃饭导致的身体消瘦，李翰的整个状态变得非常糟糕，再加上最近因投资失误而损

失了几百万元，人越发抑郁、烦躁、悲观。精神和身体的双重打击，让李翰不得不走进医院寻求帮助，用他自己的话说，“当时看起来像个木乃伊，我身高一米八五，那时候体重只有 90 斤，精神状态非常萎靡，已经是中度抑郁症，后来还吃了很长一段时间的抗抑郁药物。”

是继续在抑郁和忙碌的工作中消耗生命，还是放宽心态阳光地生活，经过激烈的思想斗争，李翰选择了后者，他开始喝茶、养花、钓鱼、健身，还专门建立了一个慈善基金用于资助贫困儿童。抑郁很可怕，但只要赶走了消极的抑郁心态，整个世界都会阳光起来，李翰时常会抄抄佛经，修身养性，后来即便是面临上千万元的政府罚款，也能非常轻松平静地该吃饭吃饭，该睡觉睡觉。

其实，担忧解决不了任何问题，它只会让我们的情绪变得焦虑，久而久之就会演变成抑郁。现代社会是一个竞争的社会，弱肉强食的环境使得人们有了更多的担忧、焦虑与忧郁，那么对于我们普通人来说，怎样才能远离忧郁，享受阳光快乐的人生呢？

（1）不要为了过去的事情烦恼

“我当初就不应该……”我们时常会听到这样的言论，过去的已无法改变，即便再悔恨、再烦恼、再纠结又有什么用呢？如果不想变成“伤春悲秋”的林妹妹，那么从现在就开始丢掉“念旧”的习惯，目光往前看，不要为了无法改变的事情折磨自己。

（2）不为明天的事情担心

不要预支未来的烦恼。明明还没生孩子，却开始为孩子的教育问题发愁叹气；明明自己还身强体壮，却时常担心老无所依……既然是未来的事情，为什么现在就开始担忧、烦恼呢？这不是未雨绸缪，而是给自己的心灵增加无谓的负担，如果不想因抑郁而过早衰老，那么还是不为明天的事情担心为好。

（3）只问耕耘莫问收获

对事情结果的期待或惧怕，也会给我们增加很多烦恼，每个人的人生终点都是死亡，不要太过在意事情的结果，人生的过程才是最为宝贵的经历和财富，按照你的本心兢兢业业、勤勤恳恳做就好，只要做到位了，结果自然不会太糟糕。

第八章

生而为人，请学会原谅自己的失败

不幸常常发生在瞬间，让人措手不及。面对不尽如人意的剧情，还需秉承“不以物喜，不以己悲”的精神，淡定地接受眼前的一切。如果能用乐观的心境应对身边的人和事，心中就会有喜悦。更重要的是，世事轮回变幻无常，今天还是阴雨绵绵，明天就可能阳光普照，何必让坏心情扰乱生活的安宁呢！

1. 接受生活的礼物，不论好坏

对大多数人来说，一生中的某些阶段总是与痛苦相伴。仿佛就在一夜之间，所有的快乐都消散得无影无踪，迎面而来的是无尽的痛苦和折磨。面对生活给予自己的东西，你没有选择的权利，唯有勇敢接受这份礼物，不管它是好是坏。

世界上没有人不曾遇到过挫折，在陷入人生的困境时，是沉沦，还是奋进，取决于你对挫折的认识。挫折固然会给人带来痛苦，但也能够让人有所收获。如果你能认识到挫折的两面性，那么挫折对于你来说，就是宝贵的财富。

人生道路上，风风雨雨，坎坎坷坷，酷暑严寒，没有谁能逃避得了。其实，在人类发展史上，每一项成就，每一次前进，都伴随着无数的磨难与挫折，几乎任何一个进步都是挫折带来的。

对强者来说，许多不期而遇的磨难给予他们飞向成功的坚实臂膀，而对弱者来说，困苦艰辛给予他们的只是无限的畏惧与退缩。心中充满希望之人，人生道路上的挫折是块石头，可以填平陷阱，也可以成为攀爬的垫脚石；懦弱胆怯之人，视挫折如洪水猛兽，躲避不及就会被囫囵吞掉。

中国古代哲学家老子提出了辩证法，“祸兮福之所倚，福兮祸之所伏”。遭遇人生困境的时候，换一种心态去面对，也许就能够看到不一样的风景。眼前的磨难和困苦，何尝不是天将降大任之前的磨砺呢？

苦难会带来悲伤和眼泪，但是也给我们提供了磨砺心志的难得机会。失明的人，用耳朵倾听曾经错过的美妙音符；失恋的人，可以有更多时间与朋友和家人相处。这个世界上没有完全糟糕的事情，是喜是忧完全取决于一个人的心态。

很多人容易被挫折击垮，对生活失去信心。面对失意和打击，应该问问自己的心，究竟想要什么。不妨趁此机会给自己放个假，去看看外面的世界，在拓宽视野的同时重新认识人生。

生活是一位智者，赐予你各种礼物；无所谓好与坏，完全在于你如何看待它们。人们往往认为危机会带来危险、失败、痛苦和绝望，然而与之相伴的也有机会与希望。有智慧的人不会自暴自弃、怨天尤人，而是转变心态，用包容的胸怀接纳生活馈赠的一切。

每个人都会有完美的幻想，所不同的是，一部分人认识到完美是根本不存在的现实，而另一部分人则成为完美幻想的奴隶，并被其绑架而整天烦闷不堪。实际上，我们会成为怎样的人，完全取决于自己的内心，如果一直在不完美的现实中追求完美，那无异于缘木求鱼，自寻烦恼。

如果人生处处完美，那么生活又有什么乐趣可言？不完美正是生活的精彩之处，因为不尽如人意所以才会孜孜以求，力图做到更好；因为不完美，所以才有了完整与残缺的对比，从而更加珍惜生活中的美好。世界上没有绝对的好与坏，过度的苛求只能带来消极的不良情绪，正确面对残缺才是最为明智的生活态度。

在漫长的人生路上，有人能抓住机会大展拳脚，而有人却与机遇失之交臂，区别在于前者学会在痛苦中蛰伏，默默迎接转机，而后者只知道自怨自艾，丧失了一切从头再来的机会。请牢记，只有坦然接受生活的好与坏，你才有资格撑起头顶的一片天。

2. 岁月不饶人，我亦未曾饶过岁月

薰衣草的香味已经依稀可闻，但一座大山挡住了去路。翻越大山将历经磨难，绕道而行或许不用承担风险；紫罗兰就开在悬崖的彼岸，一座独木桥屹立在深渊上，走上独木桥有可能摔得粉身碎骨，绕道而行或许可以平安无恙。

在这种情况下，行者分成了三类：一类人在困难面前唯唯诺诺，最终选择绕道而行；一类人在困难面前犹豫不决，始终没有付出行动；另外一类人当机立断、迎难而上，直面人生的挑战。

结果可想而知，绕道前进的人因为道路过长，错过了花期；犹豫不决的只能闻闻花香、看看花朵，而直面挑战的人最终欣赏到了无边的美景。

人生也有许多类似的岔路口，处在人生抉择的关键时刻，第一类人是懦弱之人，第二类人是平庸之人，第三类人是值得尊敬的强者。

在漫长的生命旅途中，太多人希望平平稳稳地获得成功，他们秉承“富贵应向稳中求”的信条，却因为一味求稳，错过了很多机会。其实，

人生需要直面风险的勇气。逃避解决不了任何问题，反而会成为人生路上的绊脚石。

岁月是一把刀，催人老去，不但年华不再，雄心壮志也消耗殆尽。在时间面前，任何人似乎都是弱者。与其等待岁月的摧残，不如奋起抗争，在有限的时光中努力奋进，哪怕摔得伤痕累累也无怨无悔。当你老了，你可以骄傲地说："岁月不饶人，我亦未曾饶过岁月。"

17 岁那年，李嘉诚毅然辞去了茶楼的工作，到一家塑胶厂当上了推销员。掌握所有关于推销的技能，对于生性腼腆，常常在陌生人面前显得较为拘谨、内向的李嘉诚来说，不是一件简单轻松的事情。但是，他却做得很好。

在推销中，李嘉诚学到了如何与客户打交道，如何揣摩对方的心理，如何达成交易，如何完成谈判工作。这些是他今天 10 亿元、100 亿元也买不到的。李嘉诚说，从事推销工作，至为关键的有两点：一是勤力；二是创新。

当初搞推销工作时，李嘉诚总是在路上把要说的话想好，准备充足，并且练了又练。实际上，当时只有 17 岁的李嘉诚，仍长着一张让成年人无法信赖的孩子脸。但是他很聪明，总会预先告诉客户自己的年龄，而且是经过加工之后的年龄；再加上他那让人信赖的诚实的目光，更使李嘉诚无往而不胜。很快地，最年轻的李嘉诚成为全公司遥遥领先的佼佼者。

凭借艰苦奋斗、不懈努力的精神，李嘉诚一路走来，从给别人打工到自己开公司，创办企业，生意一步步做大。再后来，他把握住每一次经济周期，开始多元化投资，并开启全球化战略，终于成为华人首富。

香港一家媒体曾经这样说，"李嘉诚发迹的经过，其实是一个典型青年奋斗成功的励志式故事，一个年轻小伙子，赤手空拳，凭着一股干劲儿勤俭好学，刻苦而劳，创立出自己的事业王国"。

最初只是一个茶楼卑微的跑堂者，一个五金厂普通的推销员，而且只有初中的教育背景，但是李嘉诚毫不气馁。他在漫长的岁月中苦苦修炼，终于跑赢了时间，成为商界的风云人物。

海洋从来不会风平浪静，所有的船舶只要到大海里航行，就要承受暴风雨的洗礼，接受暗礁的挑战。人生就像大海里的船舶，只要不停止航行，就会遭遇风险。苦难是上帝为每一个人设定好的磨炼，不要拒绝泥泞的道路，因为是它在为你书写人生。不要恐惧厄运的降临，因为是它在熔铸我们的性情。

机会总是伴随着一定风险或困难降临的，如果你总是心怀恐惧，就一定会与机会失之交臂。心怀恐惧之人，面对选择时总是患得患失、优柔寡断。他们很难按照自己的意愿，果断地做出正确的决定。而坚强勇敢的人无惧挑战，在奋斗中活出了自我，赢得了尊敬。

3. 在绝望之时，不妨看看他人想想他人

身边总有人不停地在说，我是可怜的人。我出生在一个普通的家庭，父母是平常人；自己打拼一辈子，风里来雨里去也仅仅混个温饱；历尽艰辛熬了个一官半职，却又处处受到打压，仕途并不得意；工作中领导不赏识不重用，还被别人诬陷过；收入不高，生活并不宽裕；孩子学习浮躁，成绩不好；对家庭付出很多，爱人却对自己冷漠；没有大病，却经常小病小灾。

当有一些不好的事情降临，他们就会摇身一变成为“最可怜的人”，不论是失业、失恋还是夫妻离异，都让他们感到这个世界不会再好了。其实这是对自己不幸的一种夸张，人的本能会放大自己的痛苦。

1969 年，约翰·库缇斯在医院出生。第一眼看到约翰，父亲伤心极了——小家伙只有可口可乐罐子那么大，腿是畸形的，而且没有肛门，

躺在观察室里面奄奄一息。医生告诉约翰父亲，他几乎不可能活过24小时，还是给孩子准备后事吧。所幸他活了下来，但是他注定不能像正常人一样走路了。

天生的残疾注定约翰·库缇斯从小要经受很多常人难以想象的磨难。9岁的时候，约翰 · 库缇斯上学了，但他被同学当成了“怪物”，受尽了嘲笑和恶意的捉弄。他天生倔强，虽然肢体残疾，但仍坚持到一所健康孩子的小学里读书，但那时调皮的孩子把约翰当成怪物，经常追得他乱跑。9岁时的一天，淘气的学生竟然把他绑起来，用胶布封上嘴，扔到垃圾桶里，然后点上火，他差点被活活烧死。一股浓烟弥漫开来，周围都是垃圾烧着的声音，约翰拼命扭动才幸免于难。他曾被人吊在转动的风扇下，他的同学还恶作剧地在他要走的路上撒满图钉，使他双手鲜血淋漓……

15岁那年，他去参加考试，为了答题姿势舒服一些，他把两条腿“像青蛙一样”跷在后边，可是等考完出来后才发现，两条毫无知觉的腿上被同学用铅笔刀割出了一道道血口子，上面还插着针、铅笔，三个脚指头被割断，15岁的约翰黯然爬开，身后留下了一条血路。

他也曾经一度消沉，不愿面对这个世界，甚至曾经试图自杀，在母亲的劝解下，约翰放弃了轻生的念头。“永远都不要认为自己很惨，世界上比你更惨的人多的是。”现在回忆起来，约翰幽默地说，“至少，那时我闭着眼睛也能很快安装好被拆散的轮椅。”

现在约翰成了世界级的励志大师，不仅仅如此，他还以一个残疾人的身份学会了打板球，还获得了澳大利亚残疾人网球赛的冠军。其实，你很难想象这些傲人的成绩是一个没有下半身的人取得的。

约翰的事例告诉我们，无论你觉得自己多么不幸，这个世界上总会有人比你更加不幸；无论你觉得自己多么了不起，这个世界上总有人比你更强。你永远不是那个最倒霉的，既然没有到谷底，那么人生还有希望，不是吗？我们总是想自己失去的，觉得我们一无所有，但是当每天醒来的时候，我们还有健全的四肢和清醒的头脑，不是吗？为什么要自怨自艾，而不去想办法改变现状呢？当我们走到谷底的时候，不也就是峰回路转的时候吗？

一个人，他在年轻的时候，就遭受别人的排挤，大家看不起他。他的朋友抛弃他，其中还有一个出卖了他。他被敌人逮捕，受审判，还被人戏笑、嘲弄。他被钉在一个木头的十字架上，钉在两个强盗当中。他在世上唯一的一件外衣，被行刑的士兵抓阄分了。他死后被人从十字架上取下来，埋葬在一个借来的坟墓里。

这个故事源自一本很有名的书，这个人不用说名字想必你也知道。他是不是比你更可怜，是不是世界上最可怜的人呢？但是今天，他成了世界上最幸福的人，每一个礼拜天将近有16亿人唱赞美诗歌颂他崇敬他，他的影响超过了任何一位显赫的帝王。什么叫幸福？记住，无论你失去多少，你拥有的永远都很多。所以当你觉得自己不幸的时候，不妨想想别人，这不是教你自甘堕落，而是让你重拾生活的勇气，告诉自己未来的路还很长，自己还有希望。未来永远不会亏待不放弃的人，如果你因为现在的不得意而消沉，你将输掉一生。

所以，当我们觉得自己被这个世界亏欠太多的时候，可以看看四周的人。其实他们每个人身上都有故事，有的故事甚至比你经历的还要悲伤。但是他们和我们一样，依旧在这个悲伤的世界里蹒跚，别总觉得自己已经绝望，其实，我们始终有希望。

4. 生活失去了希望，就成了磨难

生活失去了希望，就好像人失去了灵魂，成了行尸走肉，虽然还是活在阳光之下，行走在人群之中，却已经不再是一个完整的人了。生活中看不到希望，无论对自己还是对身边的人，都是一场磨难。

人总是会有情绪低落的时候，无论是因为感情不顺利，还是因为工作不顺心，都不能活在无望的世界里。哪个人没有失去过心爱的人，哪个人没有在工作上失败过？如果所有人都选择放弃了，那么这个世界该是多么颓废。

对一个人来说，“希望”意味着什么呢？它像沙漠里的绿洲，像荒岛上的同伴，像流泪时的一片纸巾。也许这些看似都不重要，但是却支撑着一个人的全部。人生没有了希望，也就失去了方向，失去了目标，那和咸鱼还有什么分别呢？

乔安娜·凯瑟琳·罗琳出生在英国一个不知名的小镇上，没有出色的外表和显赫的家庭，是一个普通的小女孩。长大后，她一直默默无闻，就读的大学也是一所普通的院校。

然而，罗琳具备丰富的想象力，上学的时候经常去图书馆看一些童话书。25 岁的时候，她来到具有童话色彩的葡萄牙，在那里找到了一份英语教师的工作。

不久，一位年轻的记者走进了她的生活，两个人相见恨晚，很快步入了婚姻殿堂。丈夫无法忍受罗琳的奇思异想，开始和其他姑娘来往。后来，两个人的婚姻终于走到了尽头，罗琳带着女儿开始独立生活。

坏运气接连来袭，刚离婚不久，罗琳又被学校解聘了。失去了工作，她只能回到故乡，靠领取政府救济金度日。尽管日子很艰难，但是她没有放弃自己的梦想，依然沉浸在童话世界中。

有一次，罗琳取救济金，坐在冰冷的椅子上等候地铁。忽然，一个童话人物形象涌上心头。回到家以后，她铺开稿纸开始写作，结果创作灵感彻底迸发出来，一发不可收拾。

几个月后，她的第一部长篇小说《哈利·波特》问世了。找了好多家出版社，才得以出版。超出所有人的预料，这部小说一上市就畅销全国，随后风靡世界各地。随后，她又创作了一系列童话作品，结果也广受市场欢迎。由此，她的生活有了很大改善。

后来，乔安娜·凯瑟琳·罗琳名列“英国在职妇女收入榜”之首，被美国《福布斯》杂志评为“100名全球最有权力名人”的第25位。

人生最可怕的敌人就是缺乏坚定的信念。对年轻人来说，信念和梦想可以改变一切。在这个世界上，只要始终能够看到希望，永远持有坚定的信念，就没有什么人和事可以将你打败。每个人都应该在信念的引领下创造奇迹，告别碌碌无为的生活。

美国足球联合会主席戴伟克·杜根说过这样一段话：“如果你觉得自己会被打倒，那你肯定就会被打倒。如果你觉得自己屹立不倒，那你肯定能屹立不倒。你渴望成功，又觉得自己没有取得成功的能力，那你肯定不会成功。你觉得自己会失败，那你肯定就会失败。”

人生的价值并不在于成功所带来的荣耀，而在于树立信念以及努力追求的过程。因此，无论人生的道路是布满荆棘还是充满坎坷，任何时候都要怀着坚定的信念，执着追求。

德国哲学家布洛赫提出了“希望哲学”，他认为“希望”不仅是一种存在的意识特征，还是一种本体论现象，是“人的本质的结构”。也就是说，希望是身体的一部分，跟我们的耳朵、眼睛、血液一样，是个体存活下去不可缺少的一部分。

意志坚定、内心强大的人，面临的困难越大、所受的挫折越多，他的斗志就会越旺盛，越会生出不达目的誓不罢休的决心和勇气。这时，希望的火种会令人表现出超越以往的智慧和能力。

希望是黑暗中的明灯，是寒冬的阳光，是一切怯懦和失败的克星。

只要还有希望，只要仍存期待，只要不放弃努力，人生就有很多机会，甚至有一个莫大的惊喜在前面等着你。如果把人生比作杠杆，那么希望就是它的“支点”，有了这个支点，你才能撬动整个人生。

信念是改变一切的力量。无论你的处境多么绝望，都要在心底保留一份信念，因为它会激发你的热情和潜能，迸发出无穷的智慧和创造力。可以说，只要信念不死，只要希望永存，一切羁绊最终都会为你让步。

看看我们身边那些成功的人和事，你会发现这样一个事实：一切胜利皆始于个人求胜的意志与信念。因此，自信和信念是获得成功的前提。生活中，胜利不一定属于强者，但一定属于那些有着坚定信念的人。

每一个人都是有梦想的，不同的是，当遭遇挫折时，许多人都放弃了自己的梦想，而另一些人却始终坚持着，总能看到希望，即使承受太多的苦难也不放弃。因为坚持，因为强大的意志力，他们撑到了最后，也笑到了最后。

第九章

选择淡定：学会过一种不纠结的人生

淡定是心灵的修炼，是人生的境界和智慧。对于一个人来说，只有淡定平静，才能够真正地享受到人生的真滋味；只有拥有淡定安详的心态，才能在粗茶淡饭中享受天伦之乐；只有具有淡定的心态，才能在喧嚣浮躁的世间保持一分"众人皆醉我独醒"的非凡境界。

1. 人生之难，莫过于有一颗平常心

歌德说："生活本身就是一条河。它需要激流，但更多的时候，它是平静向前的。"拥有淡泊之心，才能体会到生活的真谛——不因人事而精疲力竭，不因情感而患得患失。只要心里想快乐，绝大部分人都能如愿以偿。如果终日忧心忡忡、痛苦不堪，感受不到丝毫的愉悦，那一定是你的责任。

做一个快乐的人，最重要的是保持一颗平常心。无论遇到什么人，遭遇什么事，如果都能以一颗平常心待之，并且有意识地培养自己的心

理承受能力，自然容易保持舒畅的心情以及良好的精神状态。

有一个富翁住在郊外的一座大房子里，他家财万贯，有一个能干的妻子、三个美丽的女儿，可是过得并不快乐。

“妈妈，姐姐总是抢我的新裙子！”小女儿整日到妈妈面前告状。

“我就穿，你那么黑，根本不适合绿色！”二女儿似乎喜欢抢妹妹的一切。

“妈妈，我管不了两个妹妹了，她们简直像乌鸦一样，叽叽喳喳叫个不停。”大女儿除了抱怨一点都帮不上忙。

“瞧瞧你生的这些女儿！”富翁被这些不懂事的孩子气得吃不下饭。

“这些女儿与你无关吗？你什么时候去镇上，我的裙子已经做好了，过几天就要用，尽快帮我取回来吧！”

“妈妈，我也要新裙子！”二女儿叫嚷着。

“妈妈，不能给她买，她的裙子已经够多了。”小女儿也叫嚷着。

“我真后悔娶了你，还生了那么多叽叽喳喳的讨债鬼。”富翁简直要被家里的吵闹逼疯了，他开始羡慕邻居——夫妻二人盖了一座茅草屋，虽然生活贫苦，但彼此和睦互助，从来不会争吵。

“我们过得还不如隔壁的那家穷人！他们从不吵架！”富翁对妻子说。

“哼，我看不见得。”妻子满不在乎地说，“我自有办法让他们吵。”

富翁百思不得其解，不知道妻子会用什么方法让一个和睦的家庭争吵起来。

这一天的半夜，富翁按照妻子的要求，往邻居家里扔了一些银币。第二天一大早，富翁和妻子躲在茅草屋外，看这对贫苦夫妻的反应。

不一会儿，穷人和妻子来到院子里，准备出门做工。他们看到地上的银币，先是迟疑了一下，然后欣喜若狂。穷人捡起所有的银币回到屋子里，接着，茅草屋里传来了激烈的争吵声。

“我们需要一头犁地的牛，而不是你那些无所谓的新衣服。”男人的声音响起。

“我嫁给你以后，就再也没买过新衣服。过几天参加妹妹的婚礼，我一定要拿这笔钱做一件像样的裙子！”穷人的妻子也丝毫不让步。

“让婚礼见鬼去吧，我不可能把这笔钱浪费在没用的地方！”

接着，屋子里传来女人的哭声和男人的呵斥声。

就这样，几块银币就成功地让一个原本和睦的家庭陷入了争吵。

人们无时无刻不在面对各种诱惑、经受各种考验、承受各种磨难，如果无法保持一颗平常心，很容易心猿意马，失去了理性判断。在上面的故事中，贫苦夫妻意外得到了一些银币，结果原来平静的生活被打破，当银币无法同时满足两个人的心愿时，自然就有了无休止的争吵。这些银币本来是意外之财，但是夫妻二人不懂得感恩，反而燃起了更大贪欲，难怪没有了往日的和睦与安宁。

无论遇到什么，都保持平和的心态，不过度惊喜，不过度忧愁，欢乐就会始终伴随在你的左右。拿破仑·希尔说：“人与人之间的差异其实很小，但这种很小的差异却造成了巨大的差异。很小的差异指的是心态，巨大差异指的是人生结果。”一个人快乐与否，在很大程度上取决于心态，保持一颗平常心就等于掌握了快乐人生的真谛。

林肯有过悲惨的遭遇，但是他始终用平常心面对这些考验，所以迎来了成功的那一刻。这位美国历史上伟大的总统显示了强大的心理掌控能力，更以此激励了无数人。对那些经历坎坷、蒙受不公待遇、苦苦挣扎的人来说，如果能够保持内心的平和，用心体会眼前的一切，你会发现苦中作乐也是一件幸福的事，这种经历会成为一生的财富。

始终保持一颗平常心，除了需要强大的内心、坚忍的意志，还需进行睿智而理性的思考。当你能够淡定地面对各种情况，就说明你理解了人生，而此时的“平常心”其实一点也不平常。在快乐的背后，其实是苦中回甘的艰辛，那种幸福是缺乏历练的人无法体会到的。

2. 自嘲让陌生的心灵变得亲近

谈吐风趣的人，会有好人缘，他的内心是平和的；擅长辛辣讽刺的人，大多口无遮拦，他的个性是耿直的；懂得自嘲的人，有良好的修养，他的精神世界是丰富多彩的。

制造一个场景，让自己成为标靶，然后风趣地戏谑，给他人带来欢乐，这种自嘲式语言能制造轻松和谐的气氛，展示洒脱灵动的个性，并让人见识到你的可爱和人情味。在所有口才中，自嘲是最高级别的段位。

文学大师林清玄颇具幽默感，并擅长在自嘲中制造欢笑。有一次在大学演讲，他高兴地走上台，忽然听到台下议论纷纷。原来，林清玄是一个长相并不出众的人。此时，他很清楚，学生们在嘲笑自己的外貌，不过他并未计较什么。

做完简短的自我介绍之后，林清玄说：“先和大家说一件趣事。有一次，我去一所知名大学演讲，结束之后收到一位漂亮女生的纸条。当她把纸条递过来的时候，还冲我微微一笑。于是，我开心地打开纸条，上面写着一句话：亲爱的老师，我很喜欢您的演讲，我觉得您就像周星驰喜剧电影中的‘火云邪神’。”

随后，台下响起了一阵欢笑声。接着，同学们都安静地等待演说开始。林清玄又说：“看到大家期待的眼神，我就站起来转一圈，让你们看看火云邪神到底长什么样子。”于是，台下再次爆发出热烈的掌声和欢呼声。

在演讲中，林清玄再提到了一次自己的经历：“有一次在北京打车，当时我的头发比较长，披在肩上，而且还戴着墨镜。刚坐到车上，司机开口就问：‘姑娘，你去哪儿？’我立刻生气了，随手把墨镜摘下来，想让他看个清楚。结果，司机说了一句话，让我更生气了。你们猜，司机说什么了？”

台下的同学都竖起耳朵，想听听这关键的一句话是什么。“司机竟然对我说：‘哦哦，不对，看错了，应该是大娘，你这是去哪儿呀？’”林清玄刚说完，台下就哄堂大笑。

林清玄抓住自己外貌上的缺点，并且抓住时机进行自嘲，三言两语就把听众逗笑了。大家在欢笑中放松了心情，也深感眼前这位前辈风趣优雅，顿时对其产生了好感。随后，林清玄的演讲得到了学生们的一致好评。

适时适度的自嘲，不失为一种良好的口才修养，一种充满力量的交际之道。尤其是面对竞争对手的时候，自嘲者将自己置于众目睽睽之下，也令敌手失去了攻击的目标，从而占据优势地位。一番调侃之后，“自嘲”使敌手一切可能的嘲笑都丧失了杀伤力，达到了不战而屈人之兵的效果。

在关键时刻，自嘲能充分展示一个人的口才魅力与沟通技巧。它不取笑别人，避免了对他人的伤害。当人们拿自己当调侃对象的时候，也不必担心给他人带来困扰，这正是自嘲的优越性。

当然，用自嘲调节气氛也要把握好“度”。过分拿自己开涮会降低人格，成为大家眼中的笑话。恰如其分地自嘲会展示一个人的谦和，让外界见识他的大智若愚和乐观豁达，这是一种社交智慧的体现。

自嘲需要一种乐观的态度，能坦然正视自己的不足与缺憾。无论是他人攻击，还是自我戏谑，都能以平常心去面对，这样的人个性柔韧、内心坚韧，足以承担更大的责任、扮演更重要的角色。

经验表明，自嘲是成熟的起点，是一个人勇敢面对内心、真正认识自我的开始。敢于自嘲的人，能坦然接受自己的缺点，知道自己该做什么、不该做什么。在与人相处的时候，他们懂得进退的尺度，并努力保持淡然的态度，所以内心平和而有力。

3. 心放宽，潜力才能爆发出来

美国数学家丹齐克被称为线性规划之父，这位百岁数学家在年轻时曾有过一件为人称道的趣事。

当时丹齐克还在念书，有一天，他因为有事耽误了上课。办完事后，他一路狂奔回到上课的教室。当他踏进教室的时候，却发现那里空无一人。

“糟透了！”丹齐克坐在空荡荡的教室里，心中盘算着老师会不会批评他。过了一会儿，他抬起头，黑板上密密麻麻的文字吸引了他的目光，那是一道题目，只写了部分解题步骤。

“这大概是今天的作业吧。”丹齐克忙拿出纸笔抄了下来。抄的过程中他发现题目并不简单，他十分懊悔自己没有来上课，可这世界上没有卖后悔药的，只能硬着头皮把题做完。

“这作业也太难了点。”几个星期后，当丹齐克终于做完这道题时，他忍不住感叹了一声。

几个星期的埋头苦做让丹齐克疲惫不堪，他找到老师，把作业交到老师手里的同时还表达了自己的歉意：“老师，实在抱歉，这次作业的难度好像比以前大了很多，我做了很久才做完，所以现在才交。”

丹齐克很是愧疚。

老师接过他手中的“作业”，心中还很疑惑，丹齐克交的是哪次作业？

几天之后，老师把丹齐克叫到了办公室。

“这是你做的吗？你确定这是你做的吗？”老师抓住丹齐克的肩膀摇晃着。

“是的，是我做的，老师，这道题我做错了吗？”丹齐克心里有些担忧，以为自己没有解对这道题。

“丹齐克，你真是天才！”老师由衷地赞叹，“这是本领域尚未解决的问题，你竟解了出来！”

原来，黑板上的题目并不是作业，是老师在课堂上与学生一起研究前辈数学家们对这道难题的算法。下课之后，老师和同学都走了，没有人擦黑板才被丹齐克看到，误以为是老师留下的作业。

知道结果的丹齐克惊呆了，他回去之后，再次想要解出那道题，却发现自己无论如何也找不到第一次解题时的感觉。

其实，知道真相的丹齐克并不是解不出来这道题了，只是他的心态变了，他面前的不再是“作业”，而是本领域的未解之题。他无法再如先前那样放松心态，所以也便不能拥有先前的状态，一气呵成，解出难题。

有人说丹齐克原本就天资过人，所以才能解出这道数学界的难题。的确，若想解决某一领域的难题必须具有某一行业相当深厚的知识，和丹齐克智商一样的同学肯定不止一个，甚至还有比他智商高的，可他们为什么没有解出来呢?

其根源便是心态不同。一个人若常常处于紧张之中，总认为一些事情难以企及，那么这个人纵使聪明百倍也会有很多解决不了的问题。若放宽心态，把难题当作一次普通的作业，那么这个人将会发挥出自己最大的潜力。

只有把心态放宽，你的潜力才能得到最大的释放，然而心态放宽除了要放松心态，还需要心怀高远，拥有远见。就像一条小溪如何奔腾翻滚也无法像大海一般激起千层巨浪，一个人若心胸狭窄，那么他的能力便受到限制。我们若想发挥出自己的最大潜力，就需要将心态放宽。

心胸狭窄者眼界有限，远大的目标对他来说只是痴人说梦，于是他面对困难总会选择放弃，潜力也就无从发挥。心胸宽广者有远见，他的目光会放在更为广阔的天地之间，而远大的目标也并不是遥不可及，但需要付出极大的努力。

有一座高山，山顶风光秀丽，却没有看见也没留下任何照片。甲、乙、丙三位登山客觉得这山很神秘，他们都想见识一番。于是，在某一天清晨，三人相约去登山。

他们沿着山路走了许久，沿途尽是长满荆棘的小树。甲抱怨道："这路怎么走不到头，简直把人累死，我看没人能爬上去了，我要走了，祝你们好运。"

甲骂骂咧咧地走了，他累了这一路，什么美景也没看到，只收获了一肚子晦气。

甲走后，乙、丙继续攀登，他们渐渐发现沿途的景色有了好转。树已经高大起来，树木中间还夹杂着一些不知名的小花，红的，黄的，异常绚烂。二人庆幸没有放弃，他们拿出相机拍下这些照片，继续向前走。

又走了一会儿，乙停下来说："这里的景色已经很不错了，我不想再爬了。我看甲说得没错，这山爬不到头的，你若同意就和我一起走，不然我只能祝你好运了。"

"谢谢你，你若不想爬便回去吧。"丙说。

"好吧。"乙叹息着摇摇头，他觉得丙这个人太死心眼了，根本达不到的目标为什么要逞能。他向丙挥手告别，一路向下，头也不回地走了。

丙成了孤身一人，走起来很是寂寞和吃力。他时常需要停下来歇一歇，有时还会想起甲和乙的话。

"难道真的没人能到达山顶吗？"丙心中很疑惑。

"怎么可能，这山只要有顶，我就一定能爬上去！"

又走了很长时间，丙几乎抬不动腿了。眼看着天色变暗了，他决定搭起帐篷休息一晚，明天一早继续攀登。

丙找到一个安全的地方，从背包里拿出一些吃的，草草解决了晚饭，便钻进帐篷休息。

第二天丙醒来得很早，他收拾起帐篷，背起背包继续走。走了十分钟的路程，山路到了尽头，他一转角，便被眼前的景色深深吸引了。

那藏在云层中的太阳射出一条光线，云朵像是被镶了金边。他伸手，手指似乎能穿透云海，丙慌忙拿出相机记录下这一刻。

很快，云散了。丙看到了山脚下渺小的村社和星星点点的人群，那绿茵茵的草原如锦被一般，羊群是绣在锦被上的点点祥云。

站在山顶的丙被山风吹着，心里有种从未有过的畅快。

这山顶正如他心中所想并没有那么难以征服，山顶的风光如此秀美，甚至相机都不能真实记录其十分之一。

当我们认为自己的梦想遥不可及时，不妨把心态放宽些。梦想再远不代表不能实现，不要想我们面对的一切有多么困难，要清楚，当我们的心放宽，不再惧怕、不再妥协，我们的潜力才能发挥到最大。

4. 境遇再悲惨也不抱怨生活

这个世界由两类人组成，一类是意志坚强的人，另一类是心智薄弱的人。前者有与生俱来的坚强特质，他们无论是商人、教师还是体力劳动者，无论年龄大小，都可以勇敢面对困难和挑战。而后者遇到困难和挫折总是逃避，面对批评也容易受到伤害，或灰心丧气，最终只能与失败、痛苦为伴。

不抱怨生活的人，永远是命运的主人。因为了解自己，才会更加自信，即使陷入困境也会找到应对的方法，所以始终立于不败之地。强者之所以不会倒下，是因为他们勇敢面对自己的弱势和不足，在困难面前逆势突围。有了这种积极的情绪和心态，一个懦夫也可以变成英雄。

吉姆居住在纽约附近的一个小镇上，是一个天生的足球运动员。然而，他在中学时期患癌，最后双腿被截肢。这本是一件让人崩溃的事情，但是吉姆回到学校之后，却和同学们开玩笑说："我会装上用木头做的腿，到时候把袜子钉在腿上，你们谁都做不到。"

虽然不能回到球场上，但是吉姆仍然恳求教练把自己留在球队中当管理员。每天，他准时到球场帮教练收拾训练攻守的沙盘模型。这种积极的态度和坚强的毅力感染了全体队员，整支球队在他的鼓励下充满斗志。

有了这份陪伴和激励，球队在赛季中保持着全胜的战绩。赛后，为了庆祝这难得的胜利，队员举行庆功宴，并准备送给吉姆一个全体队员签名的足球。但是，吉姆因为身体太虚弱未能到场，所以宴会并不圆满。

几周后，吉姆脸色苍白地回到了球队，仍然与大家说笑。教练还轻声责问："为什么没来参加庆功宴？""教练，你不知道我正在节食吗？"笑容掩盖了吉姆脸上的苍白。

一个队员拿出写满签名的足球，说道："吉姆，都是因为你，我们才能获胜。"其实，癌症早已经恶化了，吉姆回家之后的第二天就去世了。

原来，吉姆一直都知道自己的病情，也知道被父母隐瞒的"六个星期"死期，但是他坦然面对死亡，在生命的最后时刻依然投身钟爱的足球事业，在病痛中鼓励球队去战斗。这种不抱怨的精神感染了每个球员。

意志坚强的人总能迎难而上，把最悲惨的事实变成最富有创意的生活体验。在苦难面前，他们不会像鸵鸟一样把头埋进沙土中，去逃避现实；而是接受命运的安排，勇敢迎接挑战。不抱怨的人，不抱怨的人生，终会赢得世人的敬重。

这就是积极情绪的力量，它让人相信未来，令人意志坚定，永远不认输。生活中总是充满了风雨，每个人也难免闹点小情绪。但是，坚强的人很快会抚平心绪，选择迎难而上。因为不抱怨生活，所以生活给了他们更多的回馈和礼物。

第十章

把握当下：你期待的正在向你大步奔来

人们企图把各种烦恼都提前解决掉，以便将来过得更好、更自在，活得无忧无虑。实际上，很多事是无法提前完成的。过早地为将来担忧，除了于事无补外，只能让自己觉得非常失败。再幸福的人也有烦恼，再不幸的人也有快乐。活在当下，做好自己，让生命更出彩，人生才不会有遗憾。

1. 放慢前进的脚步

现代人，被各种“快”包围着，吃的是快餐，用的是快递，上网也是极速体验，购物从原来的商场购物变成网上购物；甚至“闪婚”也成了年轻人的新宠；今天买的手机，恨不得明天就要被淘汰掉；前几年博客、微博刚刚成为众人的宠儿，如今微信又取而代之成为大家的新宠；孩子们上的辅导班的名称也纷纷成为“英语速成班”“书法速成班”“10 天背 5000 个英语单词”；就连我们古老的文化，现在也成了快餐文化……

随着整个社会风气的改变，使得现在的年轻人变得越来越急躁，做事情越来越缺乏耐心，在加快自身脚步的时候，我们的生活乐趣也大大减少。在欧洲阿尔卑斯山中，有一处风景非常优美的景点，每个去那里游玩的人都会看到这样一句标语：慢慢走，请注意欣赏美景！在这里写这样一个标语的意思就是提示游人，我们应该试着去放慢匆忙前进的脚步，停下来欣赏一下身边的美丽景色。

放慢前进的脚步，能更好地体会生命的真谛。放慢之后，我们才会知道什么是真正重要的，什么是应该舍弃的，什么是应该努力争取的，什么是可有可无的。人们都在忙着前行，是时候停下来厘清头绪，想一想我们人生到底应该如何去过才会更加精彩。

有一个人死了去见上帝，上帝问他，你一生当中最美好的东西是什么，如果你答对了，你就能够进入天堂，如果答不对，你就要下地狱。那个人回答说，我在年轻的时候错过了一个我爱的姑娘，上帝摇摇头。那个人又说，我错过了一个升职的好机会，上帝又摇了摇头。那个人又想了好久，回答说，我错过了升入名牌大学的机会。上帝看了看他，无奈地又摇了摇头。这时候，上帝告诉他，你只有最后一次机会了，再回答错误，你就要下地狱了。那个人想了好久，终于回答说，我错过了欣赏我身边的美景，没有和家人度过美好的时光。

现在的人，面对很多压力，有学习、工作、家庭、事业，等等，在这些压力之下，人们不得不提高前进的速度，这让我们忽略了身边的许多美景。故事当中的那个人，只顾着前行，没有花多少时间去享受生活，总以为还有时间和家人共度天伦之乐，殊不知，那些错过的美好时光，成了生命中永远也无法弥补的遗憾。

现在，大家都非常忙，你忙，我比你更忙，我们都为工作，为前途，为事业，而奋不顾身。我们都习惯把工作、事业放在自己生活最重要的位置上，为了它们，忽略了身边的美景，错过了与家人、与朋友、与爱人一起享受生活。

其实，我们都不能预言未来是什么状况，也没有人知道以后会发生什么变化，世事难料，人世无常，我们最应该做的就是放慢脚步。暂停一下，把握现在，静下心来，去好好享受生活，发现生活中的美景，体验生活的乐趣。暂停一下，不是在浪费我们的时间，而是为了积攒力量，更好地前行。

请放慢前行的脚步，让我们在短暂的人生道路中，更好地发现身边的美景，让我们去花更多的时间陪伴我们身边的人，让我们自己的灵魂好好休息一下，为下一步的前行做好准备。

请放慢前行的脚步，让我们好好思考一下自己想要的到底是什么，自己想要走向哪里，不要只顾着前行，却忘记自己想要去的地方。

人的一生，与其说是一场战斗，不如说是一场华丽的旅行，在这个旅途中，最重要的不是快速地到达目的地，而是如何享受那些沿途的风景。放慢我们的脚步，是一种智慧，是一种通达，只有掌握这种智慧的人，才是真正懂得生活、热爱生活的人。

2. 别被物欲所累

“欲望越小，人生就越幸福。”这是托尔斯泰曾经说过的蕴含着深邃的人生哲理的话。欲望越大，人生就会越不幸福，而欲望越小，越懂得满足，生活就会越幸福。在我们的生活中，有所追求是必须的，这会促使我们不断地进步，超越自己。但是，如果自身的追求不控制在一定限度之内，追求就会变成无休止的欲望，在欲望的逼迫下，我们就会成为欲望的奴隶，牢牢被它所奴役。

人的一生太短暂，但是物欲却是无止境的，过多的欲望，会使我们心灵变得焦虑，精神上没有一刻的安宁，想要加薪，想要升职，想要大的房子，想要贵的车子，想要更高的地位。这些都激起了我们的贪婪之心，让我们为这些物欲所累，而失去了享受生活的乐趣。

有一个叫迈克的乞丐，虽然他很贫穷，每天以乞讨为生，但是他却过得十分快活，从来不把贫穷当作一种负担。经常有人问他，为什么你在这种状况下还能过得这么开心呢？迈克回答说：“我为什么不开心呢？每天都会有人给我东西吃，运气好的时候还会有人给我一些肉吃，甚至还有零花钱，我晚上还有地方休息，不用为任何人打工，我是我自己的主人，我有什么理由不快乐呢？”

迈克的这个思想影响了很多人，大家都认为他是一个快乐天使。但是，有一天，他却不快乐了。起因是迈克捡到了一笔巨额财产，刚捡到那些钱的时候，迈克是非常开心的，他想，以后我就不用再整天去乞讨了，可以安逸地度过下半生了。直到当天晚上，迈克都不敢相信这是真的，总觉得自己是在做梦，觉都没睡好。

第二天，他没有出去乞讨，他非常轻闲地度过了一天。后来，他慢慢想到，我现在拥有了这么多的钱，我还可以拥有更多，就这样，他又开始了乞讨的生活，并且比之前更加勤快，不过，现在的迈克只想要钱，不想要食物，他一心只想让他的钱变得更多。就这样，他天天为他的攒钱计划而操心，如果某天没有讨到钱，他就会坐卧不安，觉得自己浪费了时间。就这样，之前那个快乐的迈克不见了，他的生活越来越苦闷，心情也越来越郁闷，精神也越来越差。这样又过了许久，迈克病倒了，在他病倒的日子里，他还在为他的钱而担忧。最终，迈克抑郁而死。

没有金钱的迈克可以活得潇洒快乐，但拥有了金钱之后的迈克却没有变得更加快乐，反而变得忧虑。这说明，人的欲望一旦被激发出来，那么在它的支配下，人就会变得急功近利，舍本逐末，这样，之前的快乐也会弃之不顾，盲目前行。

新闻上经常看到某个贪官贪了多少钱，拥有多少处房产，多少辆豪车，被查出来之后，身败名裂。这些贪官所做出的行为就是被无休止的欲望所驱使的，他们已经被欲望蒙住了双眼，被它所控制，以至于做出那些让人发指的事情来。过多的欲望是恶魔，会让我们失去原来的快乐生活，会降低我们的生活质量，让我们身心俱疲。

贪婪是人的本性，但是聪明的人会懂得克制自己的欲望，不被它们所左右，愚蠢的人却会被它们所控制，成为它们的俘虏。因此，我们要控制自己的欲望，把眼光放得远一点，把自己的心事放得轻一点，对身边的人或者物要看得淡一点，不要斤斤计较，不要因为一点点的欲望而丧失我们做人的原则，只有这样，我们才会拥有一种超脱的心境，不会为欲望所烦恼。

别被物欲所累，是一种人生态度、是一种处世方法，是一种做人的智慧，掌控好就会让我们懂得知足，懂得满足。

别被物欲所累，遇事不要太功利、抱有太大的目的性，要顺其自然，心态平和，心胸开阔，这样才能够活得洒脱，快活。

别被物欲所累，我们要以一颗平常心看待物质的享受，得之我幸，失之我命，不要患得患失，杞人忧天。

别被物欲所累，过分贪婪的人，最后可能会人财两空，什么也得不到。一个富有的人，必定是能平淡对待自己生活的人。

别被物欲所累，要知道“身外之物，不眷恋”，这是通晓哲理后的通达。只有这样，才可以拥有一个轻松、愉快的生活。

3. 不要预支明天的烦恼

有句话说得好，有压力才有动力。的确，适当的压力可以转化成动力，成为我们前进的力量。但是，现在社会节奏越来越快，人们对生活质量的要求也越来越高，人们面对的压力也越来越大。同时，这迫使人们对自己施加更多的压力来满足这些需求，使得人们烦恼越来越多，生活的幸福指数大大下降。

其实，生活中原本没有这么多压力，这些压力往往来自我们过多地预支了明天的烦恼。想一想，我们都想要挣更多的钱，想要更大的房子，更好的车子，更高的地位，这些都不是当下就能得到的，都是需要长期奋斗的。在这个奋斗的过程中，如果我们心态不好，把追求这些东西带来的压力变成烦恼，而不是动力，那么，我们就会负重前行，长此以往，自己的身体和精神上都会吃不消。

压力过大，自然会产生负面影响，它会影响人们的情绪，会影响人们的生活，甚至会影响人们对事情的判断，而且负担过重会使身心俱疲，不仅影响工作进度，而且会影响身体健康，得不偿失。所以，请不要预支明天的烦恼，放下压力，做好当下的事情，一步一行地看待生活中的每一件事情，让生活过得更简单、更纯粹一些，这样，生活才会有意义，更美好。

卢卡斯是一所名牌大学毕业的高才生。毕业之后，他一直在一家金融软件公司工作。在大学期间，卢卡斯就知道自己未来需要什么，所以为这个目标一直努力学习。由于对自己的工作非常熟悉，表现很好，多次受到上级的表扬，对他也信任有加。

有一次，上级把一项非常重要而且是非常巨大的项目派给他去做，并明确告诉他，如果这次表现好的话，公司会考虑给他加薪并且还会升职。卢卡斯觉得这次机会非常难得，这是上级对他的考验，也是他自己对自己的考验。

面对如此的诱惑，在得到任务之后，就开始了疯狂的工作。不但加班，晚上也无法安心入睡，工作起来对家人也不管不顾，一心放在工作上。甚至为了提前完成任务而废寝忘食，茶饭不思。就这样过了几个星期，他的项目终于接近尾声，成绩也非常突出，但是就在这个时候，卢卡斯的身体发出了警告，他病倒了。主要的原因就是压力太大，在他收获成功的同时，却失去了健康。

一个像卢卡斯这样身强体壮的年轻人，面对巨大的压力时，身体也会垮掉，更何况普通人了。

“天下本无事，庸人自扰之。”事情本来没有多复杂，有的人总会发挥想象把事情复杂化。不要预支明天的烦恼，要学会调整自己的心态。明天的工作明天解决，这样想，就可以保持乐观积极的心态，化压力为动力。

在我们处理事情的时候，应该先让自己冷静一下，适应一下将要面临的状况，调整好心态，做好手中的每一件事情，将来的烦恼，就让它出现以后再来解决。当然，这不是要我们当一天和尚撞一天钟，得过且过，而是让我们扎实地做好当下的每一件事情，把握今天，把握现在，为未来的成功创造条件。

我们都听过杞人忧天的故事，是说有个杞国人整天胡思乱想。有一天，他问别人，如果天坍塌下来，地陷落下去该怎么办？于是，他便整日担惊受怕，寝食难安，逢人便问。这时候，来了个热心人告诉他天和地是不会坍塌陷落的，世界是非常安全的，这个人的心情才好了起来。

哈里伯顿说：“怀着忧愁上床，就是背负着包袱睡觉。”车到山前必有路，过好今天的生活，明天的烦恼明天去解决。

4. 陪伴是最长情的告白

情侣之间最美好的愿望是一起白头偕老，希望可以陪伴彼此到生命的最后。然而，很多人却在山盟海誓后分道扬镳，甚至老死不相往来，这种遗憾令人无奈。

“遇见你时，我从未想过你会离开。多年来，谢谢你默默地带给我许多关怀，任我耍赖任性都不离不弃。希望你此生此世陪着我，不离开。”这种情话，这种状态，是每一对情侣所向往和期盼的，但是又有多少人坚持到最后？

真正的爱情不需要多么华丽的告白，长长久久的陪伴最可靠，也最令人期盼。在两个人的世界里，不必过分追求华而不实的东西，能够从平淡而长久的陪伴中感受到那份美好，自然能获得幸福。

有一对老夫妇经常争吵，在孩子眼里，他们之间不会存在爱情，只是没有办法才凑合在一起。可能他们也感觉到了，彼此之间更多的是亲情，而非爱情。

虽然上了年纪，争吵却没有减少，甚至比以前更多了。有一次，丈夫大发脾气，吵着与妻子离婚。无奈之下，孩子只好把妈妈接走，让两个人分开一段时间。

没想到，妻子离开了半个月，丈夫就打来电话，让孩子把老伴送回去，说家里太乱了，已经没法正常生活下去了。

孩子没有立即让妈妈回去，又过了半个月，老太太自己也待不住了，吵着要回家。原来，她担心丈夫一个人在家吃不好，睡不好。

两个人重新生活在一起，照旧争吵，只是没有以前那么厉害了。显然，他们都收敛了很多。后来，妻子生病住院了，全家人都很担心。第二天，丈夫就到医院陪伴妻子了。就这样，他每天照顾妻子的饮食起居，陪她聊天、唱歌，再也听不到争吵声了。

这对老夫妻比谁都明白，他们其实是在用吵架的方式陪伴着彼此，两个人谁也离不开谁。他们用一辈子的陪伴诠释了爱情的真正内涵和模样。

真正的爱情是埋藏在心底的，无须时刻表露出来。或欢喜，或忧伤，这种情绪在极其细腻的感情里，只需一个眼神来传递，或者靠一个动作来配合。最重要的是，彼此能互相陪伴，不离不弃。

这个世界上，有太多事物是彼此依恋，分不开的。彼此间相互依靠，敬畏又烘托着，你不能失去我，我也不能缺少你。两个人相处久了，总会有摩擦和碰撞，感情总会遭到各种事情的考验。但是，只要有实实在在的陪伴，内心那份安宁就永远不会失去。

陪伴是最长情的告白。即使在一起的日子有争吵，有矛盾，但是吵不走、打不散才是爱情的真谛。只要学会控制自己的情绪，有一颗不抛弃、不放弃的心，能够在关键时刻照顾对方的感受，那份爱就永远不会散去。

当对方不开心的时候，当对方需要关爱的时候，只要你留在身旁，陪伴左右，任何风雨都无法让内心失去希望。真正的爱是有一个人永远在身边，不离不弃。

如果有人陪伴，永远也不会觉得孤单。虽然你不曾经常向对方告白，但是那种坚守能说明一切。陪伴，是给爱人最长情而又动听的告白。如果喜欢一个人，就努力陪伴在对方身边，好好珍惜。

5. 感谢现在拥有的一切

在美国前总统罗斯福身上发生过这样一段逸事：

有一天夜里罗斯福家中失窃，丢失了很多贵重物品，朋友知道消息后纷纷写信来关切和安慰罗斯福，生怕影响他的情绪。而罗斯福在给朋友的回信中却是这样说的："我不难过，也不沮丧。我要感谢上帝！第一，贼偷去的只是我的东西，却没有伤害我的身体；第二，贼偷去的只是部分东西，而不是全部；第三，做贼的是他，不是我。"这就是一个伟人的气度，也是一个伟人的感恩之心。在旁人看来本应该是气愤，在他眼里都变成了感激。

“南非国父”纳尔逊·曼德拉是20世纪90年代非洲乃至世界政坛上一颗最耀眼的巨星。他领导的非国大在结束南非种族主义的斗争中发挥了极其重要的作用。他曾因政治迫害被囚禁了长达27年之久。但即使在狱中，曼德拉也多次成为全球焦点，他的号召力和影响力遍及全世界。

1994年，在当选南非总统的就职典礼上，曼德拉缓缓站起身来，认真而恭敬地向三个曾经关押他的看守鞠躬致敬，这一举动让现场所有的来宾都震惊了。

表示完敬意，曼德拉开口说道：“对于他们，我并没有怨恨，相反，我感恩于这一段艰苦的岁月，感恩这牢狱岁月给了我一段真正属于自己的时间，我正是利用这段岁月学会了如何排解痛苦，如何控制情绪。生命给予我们的不仅是挑战和考验，更多的是爱。在一路前行的平坦大道上，你要感恩生命带给你的美好旅途；在举步维艰的崎岖山路上，你要感恩生命给予你非同寻常的体验。所以，我要说，感恩我所拥有的一切。”

没错，我们要感恩所拥有的一切。感恩父母带给我们健康的生命，温暖的家庭，恒久的关爱，感谢朋友对我们的包容、信任，感谢老师孜孜不倦的教诲和苦口婆心的劝导……当你面对周围的人都怀揣一颗感谢之心时，你的浮躁与不安就可以被沉淀，你的不满与抱怨就会被消融。

爱因斯坦说：“每天我都要无数次地提醒自己，我的内心和外在的生活，都是建立在其他人劳动的基础上。我必须竭尽全力，像我曾经得到的和正在得到的那样，做出同样的贡献。”我们只是普通人，可能不能对人类做出多么卓越的贡献。但当我们一无所有地来到世界上，又从无知孩童走向成熟的独立个体时，我们每时每刻都在接受着自然、社会、亲朋甚至陌生人的付出和帮扶。可以说，我们每时每刻都在被“爱”与奉献环绕着。可遗憾的是，人们常常记得自己付出过什么，却忘记自己得到了什么，这也是为什么人们总是觉得生活中痛苦大于快乐。

你之所以看不到你所拥有的，是因为你没有开启那扇“感谢”的心门。低下头看看你的手里，你会发现你握着的东西远远超过了你的期望。

感谢，你还拥有的时间。别忘了，你浪费的今天正是昨天逝去的人渴望的明天。而中国共产主义先驱李大钊也说：“无限的‘过去’都以‘现在’为归宿；无限的‘未来’都以‘现在’为渊源，过去未来中间，全仗现在，以成其连续，以成其永远无始无终的大实在。”所以说，虚度了今天，你就等于主动放弃了本该属于你的明天。

感谢，你还拥有的健康。珍惜健康不是一种态度，更是一种责任。我们每个人都不单纯为自己而活，我们必须对家人、对社会、对事业负责，而健康就是让我们实现这些责任的基础保障。没有健康，何谈未来？没有健康，何谈幸福？

所以，张开双臂，拥抱并感谢你拥有的一切吧！不要再等时光不再才感慨青春的美丽，不要再等分别之时才知相聚的不易，不要再等失去爱人才知知己难觅。时光的长河奔腾不息，人生的每一个阶段，生活的每一个细节都值得我们去感谢，让我们为这平凡的世界叫好，为这简单的生命大声喝彩吧！

第十一章

不沉溺幻想，做简单的人

现代人的通病是总把生活设计得太复杂、太压抑，为此在竞争的高速公路上拼命地你追我赶，结果发现自己得到的远不如失去的多。在复杂的世界里，做一个简单的人。人生真正的美好在于：你有一颗澄明的心。只有让自己内心富有充盈，才能从容抵御世间所有的不安与喧嚣，成就自己美好的人生！

1. 得意时沉默，失意时要从容

古语云："凡事顺其自然，遇事处之泰然，得意之时淡然，失意之时坦然，艰辛曲折必然，历尽沧桑悟然。"

在你得意时，你要淡然面对，不可把它看得很重，学会沉默，不要炫耀；失意时，要坦然，不要太在意，从容一笑而过，继续努力。这一句简单的人生道理却不是所有人都能体悟到的。

诸葛亮身为一代名相，虽然饱读诗书、满腹才华，出山后在事业上功成名就，但他淡泊名利，宁静致远。虽为两朝元老，但不贪功，不倨傲，不专权，被人尊敬有加。不出茅庐，便知天下事的诸葛亮千百年来一直都被人们视为智慧的化身，效仿的榜样。面对世人对自己的赞誉，他并没有高高在上骄傲自负，面对战事的失利他也没有选择灰心丧气，一蹶不振。而是，宠辱不惊，活得淡然自如！

得意时沉默，失意时从容。许多时候，人们浮躁的心情，总是如喧嚣的世界一样，纷乱中难以静心歇息。仿佛曾经的自己，永远也做不到得意与失意的淡然与坦然。随着时间的推移，曾经的棱角性格，已被岁月的利刃一点点刮平。经历得多了，便感觉到一切都是那么的淡然。

沉默，不是消极，也不是心灰意冷，而是用淡泊的心态看待一切。不去计较名与利的得失。不要因得意时的踌躇满志，而喜形于色，欣喜昂然，飞扬跋扈。也不要因一时的失意而垂头丧气，一筹莫展，难掩烦闷。

从容是一种境界，也是一种胸怀，又是一种信仰，还是一种品格，更是一种心态。能做到这样的心境，很难。这样的心境，需要时间的磨砺，也需要坎坷人生的锤炼，更需要坦荡心境平如水的心态。人生天地间，忽如远行客。匆匆一瞬，韶华已成白头。这时，便会把一切都看得那么淡然。在人生路上走过来，年轻时，谁都会有一种浮躁的心绪。在自己行走的每一步中，都会在得与失中变幻着不同的心态。这种得与失皆缘于不同的心态，伴着人一步步从幼稚走向成熟。如果年轻时，能看透得意与失意的平淡，那就不会有年轻与年老之分了。

亚伯拉罕·林肯，被认为是美国历史上最伟大的总统之一，经历了无数次的重大人生失败。22 岁时自己做生意失败，23 岁时竞选州议员失败，24 岁时做生意再次失败，25 岁时当选州议员，26 岁时情人永远离开了他，27 岁时他的精神差点崩溃，在 29 岁时竞选州长失败，37 岁时当选国会议员，46 岁时竞选副总统失败，49 岁时竞选参议员再次失败，在他不懈的努力下，51 岁时终于成功地当选为美国总统。

他经历了无数次的重大人生失败，终于在最后一次获得成功，什么叫成功者，成功者不过是爬起来比倒下去多了一次，就多了这一次，便有了成功者与失败者。

向往功名利禄，对人们来说是非常自然的事情。但同时也要明白，所有的名利和成功不会永远存在，如同过眼云烟。如同一把小提琴，可以演奏出忧伤无比的“安魂曲”，也可以演奏出兴高采烈的“欢乐颂”。如同人生，有时欢乐，有时悲伤。淡是生活的底色，心灵淡然若水，生活便能行云流水。淡者谨慎，从不自负，忘乎所以。

用平常心淡然面对成功，方能举重若轻，不迷失自我。不会因为骄傲与自满而侵蚀一颗认真生活的心。得之淡然，失之坦然。人的一生不可能一帆风顺，有得意必有失意，有欢笑必有泪水，有成功必有失败。最重要的是自身的心态，如果我们在已经取得的成功里沾沾自喜，坐享其成，那么可怕的自满与自负会吞噬掉我们的成果。

得意时需要沉默，你才能从中总结经验，继续奋起前行。失败的时候，你则要从容面对，保持一个乐观积极的态度，微笑面对挫折，你就会对挑战充满信心，并且努力不懈。当你得意时，你要想这快乐不是永恒的。当你失意时，你要想这痛苦也不是永恒的。

得意时沉默，失意时从容。昨天的鲜花和掌声，已在岁月的无声流逝中而渐行渐远，留下的只是永远陪伴在自己身边那平淡的生活。当今天的荣誉和掌声再次向我们袭来的时候，真的感觉到一切是那么的淡然，一笑而过。

得意时沉默，失意时从容。淡然而又坦然，人生大境界！

2. 放弃不属于自己的东西

列夫·托尔斯泰说：“俄罗斯人对于自己的财产从不满足，而对于自己的智慧却相当自信。”这说明人应该懂得什么是自己应该努力去追求的，什么是应该果断放弃的。我们需要很多东西来维持自己的生活，金钱、爱情、工作、能力，等等，当这些东西都必备的时候，我们才可以生活得有滋有味。但是有些人却十分贪婪，不仅属于自己的东西不会放过，而且不属于自己的东西也想抓住不放。贪婪得来的东西，只有一时的快感，这些东西最后都会变成生命中的累赘，使我们丢失了生活中最本真的乐趣。

罗马哲学家塞尼逊说过类似的话：“人最大的财富，是在于无欲。如果你不能对现有的一切感到满足，那么纵使让你拥有全世界，你也不会幸福的。”有欲望是好的，它可以督促我们努力奋斗，但是过分地放纵自己的欲望，只会因此而付出代价。得到，不一定是最明智的选择，而放弃不一定就是错误的。

生活中最大的财富在于体会到更多的快乐，就是心态平和，没有过多欲求。要想做到这些，只能放下贪婪之心，放弃那些不属于自己的东西，做一个无欲、知足常乐的人。

在美国某个州发生过这样一件事，有一对情侣，从小青梅竹马，感情稳定，很少发生争执。他们之间一直相敬如宾，而且已经到了谈婚论嫁的年龄，许多人都认为他们将来会是模范夫妻。

在结婚之前，他们买了一张彩票，非常幸运地中了十几万美金，两个人非常高兴，一致认为这是为他们的婚姻锦上添花的事情。但是，第二天，他们却因为谁应该得到这笔意外之财而争执了起来。这对情侣闹得不可开交，未婚夫逢人就说：“这张彩票是我买的，买了之后只是放在她的手提包里，但她却厚颜无耻地说彩票是她买的！”未婚妻也振振有词地说：“要不是我提议买彩票，他根本不会去买，怎么可能中奖呢！”他们俩都觉得自己应该得到这张彩票，谁也不肯让步，最终闹上了法庭。

但是法官也对这件棘手的事情束手无策，最后只好下令暂时不发行这张彩票。

这对本来应该步入幸福婚姻的男女，却因为区区一张彩票而分道扬镳，成了陌路。造成这个悲剧的人正是他们自己，他们不懂得放弃不属于自己的东西，被人性中固有的贪婪、欲望、私心所左右，做出了让他们遗憾终身的事情。而且，在人的一生中，过分追求不属于自己的东西，会让生活的幸福指数大大降低。

很多时候，我们不懂得放弃不属于自己的东西，总是对它们念念不忘，这样，对生活中已有的东西也视而不见，忘记了原本就属于自己的幸福生活。对父母不能给我们一个更好的家境而气愤，为了自己容貌不够突出而怨天尤人，为了子女不能出类拔萃而伤心……我们的快乐越来越少，笑容越来越少，变成了欲望的奴隶，其实，这些不满足都是缘于我们自己的心理状态，缘于我们不懂得放弃那些不属于自己的东西。

《圣经》上有这么一句话，如果你得到的是整个世界，而丧失了自我的生命，那么，你也得不偿失。如果我们过分追求，不懂得满足，不懂得放弃不属于自己的东西，那么，最终会为我们的贪婪付出代价。而且，在追求这些东西的过程中，我们会殚精竭虑，不择手段，斤斤计较。当我们盲目追求的时候，所为之付出的代价也是无法衡量的，那些本来属于我们东西一旦失去之后，也是无法弥补的。

有时候，喜欢一样东西不一定非得要得到它，即使得到了，我们也可能会发现，它并非像原本想象得那么好。所以，我们应该懂得放弃不属于自己的东西，懂得知足和满足，做一个快乐的人。

3. 成大事者不纠结：洞悉内心因果，方得人生豁然自在

所谓的不纠结，就是认准的事情，即使是面临多么大的困难和问题，

也要通过自己的努力来克服。不管是失败也好、胜利也罢，总是保持积极向上的态度，从不左顾右盼，始终坚守自己的想法和目标。

人的一生中，总会经历很多事情或犯很多错误，有的人因为害怕自己利益受损而使内心纠结。一旦错误发生，又会痛苦不堪，后悔不已，更加害怕失败，以至于无法前进。

其实，谁都有犯错的时候。对于已成定局的事情，千万不要一味地沉浸在后悔之中。那样只会让我们裹足不前，让时间白白流失。有时候，前进和后退都会遇到危险，既然是这样，那就不要心存畏惧，要勇往直前，不纠结才能成大事。

从 1978 年开始，牛根生就在伊利股份有限公司工作。他依靠自己的努力，从一名洗瓶工一直做到了副总裁的位置，为伊利立下了汗马功劳。

后来，他和伊利高层发生矛盾，伊利集团对他做出了免职的处罚。当他听到这一消息时，没有苦苦哀求伊利留下他，而是决定另起炉灶，创建自己的公司。

心动不如行动。有了这一想法，牛根生就开始行动了。当时，和他一起被免职的还有几名中层干部。他们决定联合起来，共同创业。牛根生具有多年乳制品的经营管理经验，且被称为“乳业怪才”，这更让其他几个合伙人看到了希望。

为了筹集资金，他们果断卖掉了手中的伊利股份凑了 100 多万元，可这些钱简直就是杯水车薪。他们只能精打细算，一切从简，仅租了一间办公室。牛根生在以前的老下属和亲戚、朋友的帮助下，很快筹集了 700 万元的资本。

没想到，他们筹集资金的消息被人向有关部门告发了。有关部门准备以非法集资的罪名处理他们，为了澄清事实，牛根生他们做了很多的工作，结果还是被监控了很长一段时间。

经过多方寻找，他们终于在呼和浩特市和林格尔县找到了一片适合当厂房的空地。可是，这里却有一片老头树，虽然这些老头树没什么利用价值，但砍掉它们就会被戴上毁林的帽子。为了兴建厂房，他们思虑再三，决定砍掉这片老头树。

结果，不出所料，又有人将此事告到了林业局。后来，牛根生多方跑办，请和林格尔县县长出面，才帮着解决了这件事。

在创业初期，虽然每一步都走得非常艰难，但牛根生从没有纠结过是否要放弃心中的梦想，他靠自己不畏艰险的精神克服了重重困难，最终使蒙牛集团成为今日乳业中的佼佼者。

牛根生创业的经历充分说明，成大事者不纠结，只有洞悉内心因果，才能使自己的人生豁然自在。虽然每个人都有自己的梦想，但很多人在遇到挫折后，内心就开始纠结，迟疑犹豫，不懂得取舍，过度谨小慎微，感受不到自己潜在的庞大力量，不敢前行，致使自己的聪明才智无处发挥。

而有的人即使受到再大的打击也能够一直坚持着，始终不放弃。他们认为，真心付出的经历不一定会使成功如期而至，但也不要为自己的付出感到后悔，即使失败也是一次成长。只有坚持梦想，才有成功的希望。

当今世界所需要的，就是那些意志坚定、充满精力、行事果断的人。他们不仅懂得如何决定，还善于去执行决定。在面对问题时，他们会结合自己所面对的全部情况进行全面综合的考虑，最终做出决定。在认真做出决定后，他们会心无旁骛地为之行动起来。对于自己做出的决定，总能够自始至终地贯彻，不纠结，不后悔，总是乐观地相信自己可以改变命运，成就大事，创造出奇迹。

4. 学会从人生舞台体面地退场

每个人在年轻的时候都充满了活力与朝气，敢于拼搏，无畏艰险。

这种开拓进取的精神让人生充满力量，也带来事业上的成功。然而，凡事都要知进退，成功之后过度自信，认为自己做什么事情都是正确的，往往会走错路。

已经到达了人生高峰，眼前的位置已经没有留恋的必要，不妨果断选择退场。当然，这样做会失去原来的繁华、荣耀和掌声，那种孤寂之感无法避免。然而，没有一个人可以永远停留在高峰，花开花谢才是生命的规律。

做任何事都要遵从应有的规律和逻辑，在奋进努力的道路上既要懂得前进，也要学会止步与后退。懂得功成身退，顺应形势而为，其实是一种大智慧。反之，过于执拗不属于自己的东西，反而会平添许多尴尬和遗憾。

美国著名总统尼克松在任期间，发生了震惊世界的“水门事件”，成为美国政坛上最大的丑闻。最后，尼克松被迫辞职下台。当时，这位总统欲望太多了，不懂得适可而止，结果只能从政坛上灰暗地退场。

1972 年，美国总统大选在即，已经坐了四年总统位置的民主党领袖尼克松，开始谋划连任。这一年，民主党内的竞争十分激烈。于是，他导演了“水门事件”。

水门大厦由一家五星级饭店、一座高级办公楼、两座豪华公寓楼组成，美国民主党总部就在此地。1972 年 6 月 17 日，水门大厦的保安下班时，无意中看到办公室有灯光，于是马上通知了相关人员，结果发现 5 个人在安装窃听器并偷拍文件。结果，5 个人当场被捕。

这件事虽然在当时没有引起太多的关注，但是《华盛顿邮报》两位记者持续深入调查，最终真相大白，原来这是尼克松总统为了赢得竞选而指使的。面对铁证，尼克松没有狡辩的余地了，只好引咎辞职。

堂堂美国总统以这种方式从国家最高职位上跌落下来，比竞选失败下台更落寞。如此不光彩的退场，完全缘于尼克松无休止的欲望。太想连任下一届总统，所以特别害怕失去现在的职位，于是用尽各种手段以确保竞选成功。在欲望的驱使下，尼克松失去了做人做事的底线，最终饱尝了苦果。

潮起潮落、花开花谢都是大自然的规律，人生轨迹也有内在逻辑，不是人心能够左右的。失去往日的荣耀、位置固然显得落寞、沉寂，但是你别无选择。遵从正常的规律和逻辑去做事，就能获得体面的人生。反之，明知行不通却固执地行动，会让你面临很大风险，随时有跌落深渊的可能。

谁说平凡的日子没有精彩？谁说繁华之后唯有落寞？人生像高低起伏的山峦一样，所以那么精彩。在高处体验巍峨，在低处感受淡然，才是完整的生命画卷。学会从人生舞台上体面地退场，开始淡然而自由的小日子，那是一种更大的幸福。

人生有高潮，也有低潮，有秋收的季节，也有冬藏的时节。到达辉煌的顶点以后，急流勇退显然是一种大智慧。遇事多一些冷静、理性思考，一定可以拥有更开阔的心境，可以做出更加睿智的决策。

第十二章

“空杯”心态：若能一切随风去，便是世间自在人

世界如此多变，我们必须学会如何在不安全的世界里寻找安全感。给人生一次精简，在纷扰世界中保持平和的心境。纵然全世界都给你压力，你仍旧可以化成积极的动力，只要你学会定期“倒空”手里的杯子！放空心灵、放松心情。节奏慢下来、心态静下来、压力放下来，你就能感受人生的美妙与惬意。

1. 有些事情不必放在心上

一个人如果活到70岁，那也不过三万多天。除去每天吃饭、睡觉、发呆的时间，你会发现，剩下由自己完全支配的时间其实并不多。生命是有限的，而生活中纷繁复杂的琐事是无穷无尽的。你不可能为每一件事伤神，因此有些事情不必放在心上。

生活中，最稀疏平常的事情就是邻里、朋友、家人之间的磕磕绊绊。发生争执和不愉快在所难免，但它们只是一段小插曲，没有必要锱铢必较，也无须争个孰是孰非。如果执拗地闹到最后，不但无法解决问题，反而

会伤害彼此的感情，造成更大的误会。

琳娜是纽约的一位名媛，父母都混迹于时尚界。从小耳濡目染，她自然气质非凡。虽然出身高贵，但是琳娜身上没有公主般的娇气，平日里与同学、朋友都能友善相处。

在大学里，她爱上了来自美国布鲁克林区的小伙子丹尼尔。众所周知，在布鲁克林区居住的人大多出身贫寒。

但是，这没能阻挡两个人轰轰烈烈地相爱。最终，他们步入了婚姻的殿堂。然而，不同的家庭背景仍旧带来了隔膜，婚后发生了一些小插曲。

有一次，夫妻两人发生了口角，丹尼尔口无遮拦地说："你拥有的一切都仰仗着有钱的父母，不值得炫耀。我的家族最看不惯的就是有钱人！"琳娜听完，哭着从家里跑出来。

她回到母亲家里，然后诉说自己的委屈，并抱怨婚后生活不幸福："真后悔嫁给了丹尼尔，他一点儿都不体贴。"

母亲听完女儿的哭诉，笑着说："所有的美国人都讨厌有钱人，我也讨厌。你不讨厌吗？"这句玩笑话把琳娜逗乐了。

丹尼尔意识到自己说了过火的话，赶忙找到琳娜，赔礼道歉。后来，丹尼尔的父亲也登门致歉，希望化解这场误会。

琳娜的母亲安慰丹尼尔的父亲："夫妻两人关起门来争吵太正常了，哪里轮得着我们这些老人插手？"随后，两个人哈哈大笑，一场风波就这样过去了。

与人相处难免会产生一些分歧，而彼此生气时说的话并非出自本心。所以，当琳娜为丹尼尔的无心之言耿耿于怀时，母亲善意规劝，就起到了很好的润滑作用。

遇到不开心的事情就后悔不迭，纠结于为什么当初率性而为，实在没有必要。事情已经发生了，可以吸取教训，避免以后犯同样的错误；

但是，不必患得患失，心神不安。

无论是夫妻、朋友，还是邻里之间，抑或是陌生场合的萍水相逢，都可能会发生小小的摩擦。如果在这些小事上斤斤计较，患得患失，必然走进死胡同，无法让内心得到安宁。

日本著名作家伊吹卓发明了“傻瓜哲学”，倡导遇事不必太在乎，学会大智若愚。当然，这不是真的愚笨，而是一种看淡、看开、看透生活的大智慧。

时间过去了就不会重来，这种不可逆转性告诫我们，不要在无关紧要的小事上计较，而要保持一份恬淡的心境，顺其自然地生活，从而少一点憎恨，多一点快乐。

心理承受能力强的人，更能成大事。情绪无疑是影响心理素质的重要因素，遇事不卑不亢，不为小事抓狂，显然更容易把握好当下，做出正确的选择。远离后悔情绪，懂得放下和释怀，生活会变得更简单。

2. 你只负责向前，时间会把你变优秀

世界是一杆不公平的秤，也许付出与收获不会那么平衡，夜以继日的努力得不到肯定。但是，不要抱怨辛勤的耕耘像童年的泡泡一样悄无声息地消失在五月的阳光里，不要抱怨艰难的坚持像海边的沙雕一样被浪花拍得了无痕迹，不要抱怨夜以继日的加班没有得到老板的赞赏，不要抱怨用无数的节假日换来的竟是微薄的薪水。

找个安静的空闲静下心来吧，放下手边堆积成山的文件，为自己冲一杯温暖的咖啡，回想自己一路走来的足迹，你一定会为自己感到骄傲的。

几年前，你还是一个稚嫩青涩、两眼茫然的大学生，如今你成为这家全国五百强企业里的一员，以为自己是命运的佼佼者，在人生赛道上远远超前。因为你曾经是学生会备受尊崇的主席，是老师得力的

助手，同学眼中信任的班委，这些都是你引以为豪的资本和骄傲。然而，当你迈进这家企业成为其中一员的时候，你第一次感觉到了自己的卑微和渺小。

在这里，你不再是受人尊崇的学长，不再是受辅导员重视的班委，不再因为一点小权力就被人看作大人物。你，仅仅是这家大公司的小小一员。同事们从来不拿正眼看你，他们年纪比你大，资历比你深，你在他们眼里只是微不足道的菜鸟。而公司的领导，不要说你是他眼中的红人，他甚至都可能不认识你，不知道你叫什么名字，你在走廊里遇见老板，你恭敬地对他点头称好，他连看也没有看你一眼。

于是，你慌了，开始怀疑自己，怀疑自己的能力和实力，怀疑自己是否真的有能力将心中的蓝图变成雄伟的高楼大厦。你苦恼，郁闷，但最终还是下定决心拼搏一次，为了自己，也为了心爱的那个她。

于是，你收起锋芒与棱角，放下骄傲和优越，放低身姿和要求，决心一切从零开始，就像进大学时那样，从最低端的工作着手，成为一个“眼低手高”的实践者。

你处在最卑微的角落，却有着最雄伟的梦想。

终于有一天，变化悄然而生。你发现自己开始渐渐熟悉这样的节奏，习惯每天早上七点挤公交，习惯每天中午吃公司清淡无味的盒饭，习惯每天繁重的工作量和性格各异的工作伙伴。以往内心对成功极为强烈的渴望，如今化作处理工作时的一份淡然与从容，一切对你来说，都不是那么难了。

此时，你虽然还没有得到领导的奖励，没有得到同事的赞赏，却得到了自己的认同，有了实实在在的进步。是的，你的努力和汗水都没有白费，你在这个同学们羡慕嫉妒恨的公司里站稳了脚跟，有了属于自己的天地。

这些就是你的成就，看似没有做出什么大事，其实是做了最有价值的事。你没有顾虑那些身外之事，认准一个目标，向早已定下的方向努力奋斗。日复一日，年复一年，果不其然，时间给了你更华美的装饰，将你变得越来越优秀。

就是这样，你只负责向前，时间会把你变得越来越优秀。成功者沉稳而淡定，他们知道无谓的顾虑和畏惧没有丝毫促进作用，反而会阻碍前进的步伐和必胜的信心。

在忙碌了一整天后，试着静下心来，用理智去思考，自己究竟需要什么？又缺少什么？只有了解自己，才能实现自己，若连自己都不了解，又谈何了解世界，更谈不上拥有属于自己的世界了。

我们不能没有目标，也不能有太多的目标，太多目标会分散注意力，影响前进的脚步。想要成功其实很简单，那就打开心扉吧，写下自己的需要和不足，放下包袱，向着目标努力前行，不要总是担心会失败，也不用担心有没有风险。只要下定决心努力向前，时间的魔力会将我们变得越来越优秀，将我们变成理想中的自己。

很多人败就败在想法太多，顾虑太多。心里想的事情太多，就会分散注意力，我们的心就那么大，装得下忧虑就装不下努力，装得下犹豫就装不下果敢。将自己变得简单一点，纯粹一点，心存一个方向，并朝着这个方向不懈努力。

日出而作，日落而息，充实每一分钟，每一小时，每一天，每一月，每一年，千千万万个日子叠加起来，我们可能没有察觉到改变多少，但它却在不知不觉中变成了自己理想中的那个城堡。

这便是时间对我们的回报，它见证了我们每一分每一秒的努力和勤奋，每日的辛苦景象都被时间尽收眼底。我们可能一时感觉不到，但只要放弃杂念努力向前，后面的事情时间自有安排。

朋友，听了这些你可能会莞尔一笑，手中的咖啡虽已有些许微凉，心却火热起来，你终于知道了自己这些年的努力没有白费。

其实，人生就是这样，需要我们时常静下心来梳理过去。忙碌、奔波是为了给我们及家人更好的未来，但是偶尔静下心来，回望一下走过的路，看看一路走来的跌跌撞撞，自然会意识到其中的价值和意义，于是便不自觉地坚定了前行的脚步。

你只负责向前，时间会将你变得越来越优秀。一定要将这句话铭记于心，并且坚定不移地相信它。只要你一往无前地奋斗，不要在乎那些恼人的琐事，时间会见证你的汗水与勤奋，它会帮你筑成心中的那座辉煌的城堡。

3. 视名利为平常，享受淡然与洒脱

人生在世，不应该过分追求“名利”二字，因为名利场上陷阱太多，过分地看重它，你就会深深地陷进去，整日地绷紧神经，挖空心思地活着，如负重的老牛一样活得太累。

名和利虽然和我们每个人息息相关，但实质上它也只不过是身外之物，且追名逐利还会带给人们无尽无休的苦恼，淡然是一种崇高的精神境界和心态，是对人生追求在深层次上的定位，淡然是一份豁达的心态，是一份明悟的感觉。有了淡然的心态，就不会在世俗中随波逐流，就不会对他人牢骚满腹，攀比嫉妒。

如果过于看重名与利，计较得失，呆板固执，只钻牛角尖，没有平常心，不管你怎么努力都是白费的，成功永远都会远远地嘲笑你。而明智舍弃一些东西，让自己通往成功的担子减轻点；聪明一点把所得到的灵活运用，帮自己找到通往成功最近的一条路才是大智与大悟。

淡然与洒脱能体现一个人的修养，它是一个人的精神境界，是一

种不卑微、不凡俗的生存方式和生活习惯。当一个人拥有了不为名利所累，不为人间飞短流长所左右的生活态度时，他就拥有了淡泊的全部含义。

人生何必计较太多，给自己平添许多的不快乐。凡事不要太过于执着，人不能总是驻足在一事一物上，那样就会限制自己的思维，使人变得偏执。当你的内心淡然了，就会轻易放下执念，少一些名利心，也就会少许多的烦恼，生活自然会变得恬静悠然，身心也会保持舒畅和健康。

能做到淡泊名利的人才是生活中的洒脱之人，只有你自己的生活简单了，你才会真正成为自己的主人。

莱特兄弟，即维尔伯·莱特和奥维尔·莱特，他们是美国的发明家。1903年驾着自己发明的飞机首次飞行试验成功之后，兄弟二人名扬天下。虽然成为世界的知名人物，但他们从不把名声二字放在心上，仍然只是和以前一样默默地工作，不写自传，也不参加毫无意义的宴会，更是很少接待试图采访他们的新闻记者。

面对千里迢迢慕名而来劝说他写自传的出版商，奥维尔依然平静而祥和，他总是谦逊地说：“我们兄弟俩自幼喜欢搞机器，一个偶然的机会，有了制造飞行的想法，就这样，一步步走了下来。我们实在很平凡，不敢自诩有多大的成就。”

还有一次，奥维尔正在和家人一起用餐，吃到一半的时候，他顺手从口袋中摸出了一条红丝带用来擦嘴，他的姐姐便问道：“哪来的手帕，好漂亮。”奥维尔毫不在意地说：“哦，这是法国政府颁发给我的荣誉奖章，嘴巴上沾了油没有手帕用，就拿它来代替了。”

1912年，维尔伯因伤寒病去世了，年仅45岁。维尔伯的死去令奥维尔深感悲痛，他们自幼兴趣相投，拥有共同的理想和爱好，然而就在他们的成就刚刚获得世人的承认时，哥哥却撒手而去，怎不令奥维尔悲痛。

自从哥哥维尔伯去世之后，奥维尔感到身心俱疲，萌生了退休的念头，于是便召开股东大会，宣布他将出让全部的股权，在场的股东全都惊讶不已，纷纷挽留他。可是，奥维尔去意已决，便在一片感伤的气氛下，与董事们含泪告别了。

奥维尔出让股权之后，无事一身轻，感到十年来郁积在心中的块垒卸了下来，全身清爽。奥维尔和他的父亲及妹妹移居到代顿城外那所名叫霍桑庄园的新房子里，在这里他和维尔伯一起制订了最后一个计划。恋旧的奥维尔一直居住在此。

霍桑庄园是一座古香古色而带有英格兰风格的建筑，周围环绕着参天古木，门前还有一条被浓荫遮盖的小道通向外面的世界。

幽静、宁馨的气氛使奥维尔享受到了前所未有的安详生活。除了那些涌到霍桑来向奥维尔索取签名、留影的热情追随者占用他一部分时间外，奥维尔将大部分时间都用在了自己的研究工作中。

莱特兄弟的淡泊名利让人敬佩，这可不是一件容易的事情，莱特兄弟活到了一种境界。淡泊名利可以放飞人的心灵，可以还原人的本性。它能让人在顺境中不怡然自得，身处逆境时也不妄自菲薄，一切都悉由自然。因为真正淡泊名利的人懂得：不能够恬淡寡欲就不能明确志向，不能够平和安静就不能实现远大目标。

人生在世，主观上追求什么，能从根本上决定一生的命运。追求功名利禄的人，整天考虑的是他人对自己如何评价，一辈子忙忙碌碌、争名夺利，为了让自己更加幸福和快乐而去追求和占有更多的东西。其实，等一切铅华洗尽才会知道，幸福和快乐很简单，就是拥有一颗平常心，一份悠然的心情，仅此而已。然而这些却往往在自己执着的追求中一一失去了。视名利为平常的人，自然是对荣辱不上心，他们能够按照自己的原则，做个淡然洒脱的人。

淡然不是淡漠，不是处世消极，它是阅尽沧桑后的醒悟，是了然于胸的大度，是不以物喜、不以己悲的超脱，是坦然面对一切的平静。淡然更是一种智慧，是一种参透事物的本然，不为一些小事儿耿耿于怀的豁达和包容。

淡然、洒脱的心态是人生的一笔财富。生活每天都在考验我们的意志，我们应该学会在前行的道路上，不断地抖落心灵的灰尘，而不是背负它们艰难前行。没有人能够强悍地抵御生活中的全部挑战，学会淡然处之，才会减少痛苦，保持健康，让自己的生活更加幸福。当你能够坚守一份淡然洒脱的生活，蓦然回首，你将看到一个属于自己的美丽人生。

4. 小心，抱怨会吸引不幸

大多数人产生抱怨情绪，最开始只是因为担心某件事情发生，他们认为用抱怨提醒或者警告对方，令人担忧的事情就不会发生了。但实际情况恰恰与之相反，抱怨非但不能消除忧虑，反而会使担心的事变成现实。

抱怨，其实就是在向别人诉说你内心的危机感。伴随着这种倾诉，危机感非但消失，反而不断加强了。起初，你并不相信事情会发生，只是防患于未然，但是随着抱怨次数的增加，你开始相信事情可能会发生，甚至觉得事情马上就要发生。

作为一种负面情绪，抱怨会吸引不幸，你有什么理由不快速远离它呢？

当苏菲随身带着精心准备的作品，到一家知名广告公司应聘。前面有许多面试人员等候，苏菲向工作人员要了一杯热水，缓解一下紧张的心情。

工作人员把水递过来，不小心打翻了杯子，滚烫的水全部洒到了那张作品上。所幸苏菲并没有被烫着，但那张作品就没这么幸运了，立刻变得皱巴巴的，上面的文字和线条都模糊不清了。

顿时，苏菲火冒三丈，立刻埋怨工作人员太不小心了，这会影响后面的面试啊！原本紧张的心情更糟了，苏菲开始坐立不安，抱怨自己运气不好。她开始想象面试人员看到自己的作品，会是什么表情，该如何解释。这么想着，她心里越来越没底。

轮到苏菲面试了，她深吸一口气，走进房间，因为紧张显得有些慌乱。果然，看到苏菲的作品时，面试人员一脸惊诧。接着，她开始辩解，情急之下抱怨自己多么不走运。

没有一家公司喜欢抱怨的员工，面试人员心里很快有了答案。结果，苏菲没能通过初试，直接被淘汰了。

其实，苏菲完全可以平和地解释，而不必抱怨。因为太在乎别人对自己的看法，所以极力解释，最后反而陷入被动局面。为了消除面试人员的误解，苏菲错误地选择了抱怨的方式，结果这种不良情绪暴露了个人缺陷，导致初试失败。

抱怨遇人不淑，抱怨社会不公，内心充满了怨恨，就是不去努力改变窘境，不去弥合分歧，于是你离快乐越来越远，离不幸越来越近。最终，抱怨把担心的事情变成了现实，苦果只能自己去尝。

习惯抱怨的人，无法赢得幸运之神的垂青。那么，如何避免陷入抱怨的情绪中呢？心理学家发现，想要养成或改变一个习惯，需要 21 天的坚持和努力。尝试 21 天不抱怨，就能逐步学会积极面对一切。

学会换位思考。抱怨是一种传染性极强的情绪，不仅会让自己陷入痛苦，甚至会让亲近你的人心情也跟着变差。因此，遇到令人厌烦的事时，要及时换位思考，努力给大脑积极的暗示，主动调节不良情绪。

学会转移不良情绪。在无法通过换位思考消除负面情绪的时候，要尝试用别的方法转移，比如听音乐或者跑步，让大脑放松下来。

学会感恩。一个人习惯抱怨之后，短时间内很难改变。不妨每天晚上睡前回想一件当天值得感恩的事情，最好是一些具体的小事，几天之后你会发现世界并不是那么讨厌。

抱怨，就是在吸引不幸。面对眼前美好的人和事，要懂得欣赏，并感谢自己拥有的一切。善待人生，不抱怨，自然容易成为一个幸运儿。

第十三章

不急不躁：即使再急也要慢慢来，因为我们还年轻

快节奏的生活，让我们越来越收不住自己的性子，变得越来越急躁。在沉浮间，找寻真我。人生一世，草木一秋，匆忙又短暂。若岁月静好，那就颐养身心；若时光阴暗，那就多些历练，属于你的风景就在峰回路转之间。遇事不急不躁，以平和的心态融入社会，才能真切地感受到生命的真谛。

1. 用平常心看不平常事

当别人把过错推在你身上并造成误解时，你是不是感到很委屈？

当你努力了很久却发现功劳被别人冒领时，你是不是很想骂娘？

当一个各方面都不如你的人却因关系得到升职加薪时，你是不是感到很受伤？

人生在世虽只有匆匆数十载，但经历的事情却会很多。在这些事情中肯定会有一些是刻骨铭心的，我们要学会用平常心去看待。

人生一世会遭遇很多的不公平，明明属于自己的东西被他人白白抢

走。这个时候，我们需要静下心来，用一颗平常的心去看待这些问题。这时，我们会发现事情并没有自己想象的那么糟糕。心静自然凉，心静了，我们就可以理性地思考，很多棘手的问题也会变得容易起来了。

苏洵在《心术》中写道："泰山崩于前而色不变，麋鹿兴于左而目不瞬闲暇之余。"意思就是要保持平和的心态，不因眼前的变化而扰乱自己的心智，也不因为一时的失落而丧失理智。

当我们用平常心去看待不平常事，就会发现事事平常。面临危险的时候，保持平常心就能获得勇敢，获得生的希望；面对着名利的诱惑，平常心就是廉洁，就是巨大利益下的坚守。在荣誉面前，平常心就是一种谦卑；在恶意诋毁面前，平常心就是不卑不亢。

平常心并不是消极遁世，对什么都四大皆空，而是一种境界，一种积极的人生态度。这种人生态度会帮助我们处理人生路上遇到的种种艰难险阻。

南怀瑾说过这样一句话："什么是佛？心即是佛。什么是道？平常心就是道。"

事实的确如此。真正了不起的人一定是个很平凡的人，真正的伟大植根于平凡。所以，如果我们想要成功，就应该以一颗"平常心"去待人接物，去处理生活、工作中的大小事务。

经历过大风大浪的人都会有这样的感觉：回归平常是一件难得的事情。

最美是寻常，可惜能够真正领悟的人只有少数。

佛家有一则这样的故事：一个僧人到法堂请教禅师："师父，我每天打坐很长时间，无时无刻不在念经，起早贪黑，心中没有一丝杂念，我觉得您的座下没有任何人比我更用功了。可是，为什么我就是不开悟呢？"

禅师没有直接回答僧人提出的问题，而是拿了一把粗盐和一个葫芦，交给了这个僧人：“用水把葫芦装满，然后把盐倒进去并让它融化，等盐融化之后你就会开悟了。”

僧人心里很高兴，便立刻按照禅师说的做了。没过多久，他苦恼地跑来说：“师父，葫芦口太小了，我费了很大劲才把盐装进去，可它就是不化。我想用筷子伸进去搅一下，却搅不动，盐根本融化不了。难道我不能开悟吗？”

禅师还是没有直接回答僧人的问题，而是拿起葫芦，将里面的水倒掉一部分，轻轻地摇了几下之后，盐就融化了。这个时候，禅师才慈祥地说道：“一天到晚只是用功，不存些平常心，就如同这装满水的葫芦，摇不了，搅不动。化盐都如此困难，何况开悟呢？”

僧人不解地反问一句：“难道不用功就可以开悟吗？”

“修行如同弹琴，弦紧则断，松却无音，不紧不松才能奏响乐曲。只有保持中道平常心，才是悟道之本。”

僧人听了禅师的话，顿时大悟。

这个禅语小故事告诉我们一个哲理：凡事皆应平常心。平常心是一种人生态度，一种脱凡的境界。保持平常心，我们才能端正自己的态度，做到宠辱不惊，才能不像故事中的僧人那样起执念，才能有所成就。

我们在宫廷电视剧中经常看到这样的情景，皇帝吃饭时每一道菜不超过三筷子。你是不是觉得很奇怪？据历史考据，这是为了减少皇帝中毒的可能性。我们都知道，御膳的种类很多，同时皇帝的敌人也很多，如果他对一道菜有偏爱的话，那么，刺客就很有可能在这道菜中下毒。但是，如果皇帝对所有的菜一视同仁，那么刺客就难办了，一方面不知道皇帝会吃哪一道菜，另一方面又不可能对每一道菜都下毒，这在很大程度上降低了皇帝中毒的可能性。

这个案例对我们为人处世也有很好的借鉴意义。当我们对所有的事物保持平常心之后，别人就很难看出我们的喜好，这对我们自己来说，未必不是一种自我保护。将喜好隐藏起来，将欲望收敛起来，不让心怀叵测的人有所察觉，那么他们就无法借此攻击我们。

“浓肥辛甘非真味，真味只是淡；神奇卓异非至人，至人只是常。”这是《菜根谭》里的一句话，意思是说，那些常说的浓郁肥腻、酸甜苦辣都称不上真正的美味，真正的美味只是简简单单的平淡；而那些所谓有着神奇卓越天赋的人也算不上是最好的人，最好的人只是平常人而已。这句话的真谛是平凡就是最好的，凡事都要保持一颗平常心。

平常心是对生命的敬畏，生命弥足珍贵，每一个人的出生都是经历了无数的偶然，应该学会珍惜，学会感恩，学会满足。怀着一颗平常心去看生活中的事情，尤其是那些不寻常的事情，我们会发现一些平常发现不了的问题。

在我们面临危机的时候，一颗平常心会帮助我们发现“柳暗花明”的那“一村”。保持平常心，遇到困难时我们可以保持冷静，面对赞美时仍保持清明的头脑，不会因自己的一时鬼迷心窍而误事。

人生本来就不完美，保持一颗平常心，也许它不会让你走上完美，但是它可以还你一个没有缺憾的人生。

2. 在逆境中砥砺非凡自我

人生之路并非一帆风顺，人们总会与逆境不期而遇。积极的人总能把悲痛化为精神力量，冲破雾霭迎接静好时光；而消极的人只会抱怨生活的不幸，不愿去挑战逆境，从而庸庸碌碌。其实，痛苦、灾难、祸患并不可怕。雨果说：“痛苦能够孕育灵魂和精神的力量，灾难是傲骨的乳娘，祸患则是人杰的乳汁。”只要能勇敢地去面对，以坚强的毅力冲出重围，人生的舞台就会绽放出最绚丽的光彩。

成功不是轻而易举的事情。人的生命似洪水奔流，不遇到岛屿和暗礁，难以激起美丽的浪花。但凡取得伟大成就的人，在通往成功的路上都要经受许多磨难，这些痛苦折磨成为他们人生旅途中最珍贵的财富。

没有烈火的焚烧，檀香不能散发出最浓郁的芳香；没有经历蜕变的痛苦，青虫不可能变成美丽的蝴蝶：凤凰不经涅槃很难得以重生；没有暴风雨的冲击，船帆也只不过是一块破布。所以，人只有经过逆境的洗礼，才能完成人生的涅槃，达到光辉的顶点。

逆境，是每个人一生中都要跋涉穿越的一片沼泽湿地，这里成为多少历史豪杰的滑铁卢，又有多少平民百姓凭借超人的毅力走出了沼泽，成就了英雄传奇。逆境，是世界上唯一没有围墙的免费大学，这里有优秀的人生导师向你传授生命真理。在逆境中，人们更能顿悟人生真谛，更能看得更远、更广、更深。它如浩瀚海洋上的一盏导航灯，如陡峭悬崖边的一把云梯，引领人们驶向光明，攀爬上人生之巅；同时，逆境也是人生的一块绊脚石，它能让人一蹶不振，失去对生活的信心；逆境也是一种黑暗，让人颓废、逃避。人不能选择生命，但是可以改变命运。在逆境中的一个抉择就会使人生发生翻天覆地的大变化。假如你选择了坚持，风雨过后，你将拥有天边最绚丽的彩虹；假如你选择了逃避，黑暗之中，痛苦将伴你一生。

逆境，是一个人成才的必经阶段。逆境可以激发一个人的潜力，无数具有超凡意志的人在逆境中创造了无数的不可能。逆境能砥砺出坚强的人格，走过磨难的人，都能够不畏艰险，知难而进，能应付各种突如其来的事变；都能够披荆斩棘，百折不挠，“虽九死其犹未悔”，直至成功。

肯德基连锁店遍及世界各地，成为快餐行业的老大哥。他的创始人卡耐尔·桑达斯也成为家喻户晓的人物。然而，卡耐尔·桑达斯早年曾经历过一段痛苦不堪的人生。

在他六岁的时候，他的父亲就因病去世。渐渐长大的卡耐尔开始扛起照顾幼弟、补贴家用的重担。没有手艺或技术的他，开始到农场劳动，成为一名农民。当农民劳作辛苦，收入微薄时，农场主又总是苛责他。卡耐尔性子暴烈，总是与农场主争吵，很快就被解雇。此后，他不停地更换工作，在不停地更换工作的过程中，他的前途也被耽搁了。在贫困潦倒中，艰难地支撑着摇摇欲坠的家。

卡耐尔从来没有向困难屈服过，年过半百的他开始经营带有餐馆的加油站，加油站可观的收入使他家庭生活一度好转。但是，好景不长，随着城市的迅速发展，加油站前的那条道路变成了背街背巷的道路，顾客量急剧减少。卡耐尔在他 65 岁时，不得不放弃了餐馆。

深受打击的卡耐尔并没有像人们想象的那样消沉颓废，而是开始积极推销他手中珍贵的炸鸡专利。起初，没有快餐馆愿意买他的专利。卡耐尔没有灰心，他开始一家一家地走访美国的快餐馆，终于有人试用了他的秘方后购买了这个专利，后来众多餐馆纷纷购买他制作炸鸡的秘诀——调味酱。每售出一份炸鸡他将获得 5 美分的回扣。五年之后，出售这种炸鸡的餐馆迅速遍及美国及加拿大，随后世界各地都出现了老少皆喜的肯德基快餐。当时，卡耐尔已经年过古稀。

逆境是天才的晋身之阶，信徒的洗礼之水，能人的无价之宝，弱者的无底深渊。只有真正的强者才能直面惨淡的人生，才能在逆境中砥砺非凡自我。对那些被积极的心态所激励，要成为成功者的人来说，伴随着任何逆境，都会同时产生一粒等量或更大利益的种子。在逆境中微笑，就越显得笑得不易，笑得可贵。

不要再害怕或厌恶逆境了！它是上帝对你的垂爱和眷顾，是上帝赐予你改变命运的机会。在逆境中你往往会突破自己，书写出连你自己都未曾想过的神话。

3. 珍惜人生的每一种滋味

生活是什么味道？在顺境中春风得意的人说是甜的；在逆境中痛苦挣扎的人说是苦的；刚从一场打架斗殴中脱身，依旧豪气万丈的人说是辣的；被人误解，受尽委屈的人说是酸的。其实，酸甜苦辣都是人生的味道，而这每一种味道都值得我们去珍惜。

命运之神总是如同淘气的孩童，时不时地上演一场恶作剧，吓走人生路上的得意扬扬、万里无云。不要期望你的人生之舟能避开所有的风浪顺利地到达理想的彼岸；也不要苛求通往成功之门的道路不会有荆棘陷阱，风浪能让舵手更加珍惜平静的大海，坎坷能让成功的朝拜者体会到坦途的宝贵。

人生的每一种滋味都是上帝恩赐，都是值得我们珍惜的。狂风暴雨中，草木牢固了它的根基；电闪雷鸣中，海燕历练了它的翅膀；火煅水淬中，钢刀变得更加锋利；冰雪酷寒中，梅花成就了清幽的香味。珍惜生活中的磨难，在逆境挫折中历练，才能锻造坚忍的意志，砥砺豁达的心胸，成就非凡的勇气。

“十年磨一剑，一朝试锋芒”，没有人能够随随便便成功，凡是成就伟业之人都经受过人生苦难的洗礼。当苦的滋味让你作呕，辣的滋味让你喉舌疼痛，酸的滋味让你泪流满面，不要埋怨人生的无常，好好珍惜上帝对你的考验。“甜”自然能使你身心舒畅，但“苦”也能让你心平气和；“辣”能让你精神振奋；“酸”能让你眼睛清明。上帝赐予你的所有都有他独特的用意，人生的每一种滋味都不是多余的。

阿曼达是一个非常出色的小姑娘，她的成绩总是遥遥领先。她参加各种比赛总能拿到冠军，她似乎从来没有失败过，“第一名”好像是专门为她设立的。老师、家长、同学和朋友提起她总是赞不绝口。她非常享受大家羡慕的眼光，决定把“第一名”继续下去。

然而，阿曼达进入高中的成绩并不是很好，一直以第一名要求自己的她那个假期过得非常痛苦。她不愿和以前的同学见面，因为他们总是用急切的眼神询问她的成绩，期待又一个第一名的奇迹；她也不愿与家人一起度假，她认为没有达到自己目标的人没有理由快乐；她甚至不愿看书，任何文字的东西都能让她想起不理想的成绩。她每天都躲在家里，除了睡觉，还是睡觉。郁闷的假期过去了，她不敢去上学。她无法面对那些比她优秀的人，她不知道自己能不能再找回以前的优秀。

爸爸一个假期都在外地出差，没有时间看到阿曼达。终于在阿曼达快要开学时完成了所有的工作回到了家。他把女儿叫到身边说：“宝贝，你说生活是什么味道的？”

情绪低落的阿曼达说：“酸、甜、苦、辣。”

爸爸说：“对啊！可是，你之前的生活一直都是甜的。你试想一下，如果一个人吃了太多的甜食，他会怎么样？他会拉肚子，会血糖高，会严重影响他的健康。并且，他不会知道生活还有其他味道，不会知道甜是生活最好的味道，他的生活就不是完整的。”

阿曼达若有所思地说：“我是时候去体验一下生活中其他的味道了？”

爸爸说：“是的，宝贝。生活的每一种滋味都值得我们珍惜。”

经不起风浪的鱼儿不能跃出水面，躲在安乐窝中的雏鹰终究无法在苍穹下翱翔，树荫下的幼苗不能高耸入云，养在温室里的花朵在狂风中只会瑟瑟发抖。不经历风雨不会看到彩虹，不承受人生的酸甜苦辣，难以领会到人生的真谛。

经历了酸甜苦辣的人生才是完整的人生，缺少其中的任何一种滋味都将是生命的缺少。不要害怕逆境的痛苦、苦难的折磨，正如蚕蛹化蝶、凤凰涅槃一样，这一切都是生命必经之痛。正是经历了这些没有人愿意品尝的滋味，在我们的世界里，鸟鸣才会更加清脆，花香才会更加芬芳，阳光才会更加温暖明媚。

4. 放慢身心，享受快乐“慢生活”

在这个快节奏的世界里，你是否常因工作、生活疲于奔命，忙忙碌碌，感到很疲惫？每天早上，我们被闹钟叫醒，然后匆忙上路，到了公司又匆忙地周旋于大大小小的会议和项目之间，下班后还要匆忙地回家做饭、照顾孩子或是与朋友聚会，直到夜深。不知不觉间，我们已经没有了自己的时间，忙碌成了生活的主旋律。

要知道这不仅会损害你的身体，还会影响你的工作效率、生活质量等各个方面。为了缓解身心的疲惫，为了使工作、生活更好地进行，有必要偶尔放慢自己的脚步。也许你会问，在竞争如此激烈的年代，哪儿有资本慢下来啊？

其实不然，“慢生活”并非让你放弃自我、无所事事，而是在生活和工作之间寻找一个美丽的平衡点。不要以为废寝忘食就预示着成功，就表明你不可挑剔的敬业精神。很多人把每一分钟都用在工作上，其实那真的得不偿失。

程志新热爱广告事业，他大学刚毕业就投身于一家著名的广告公司工作，从最初的创意助理一直做到了部门经理。

他每天早八点准时出门，拎着笔记本到公司上班，一上午和同事讨论广告方案，下午给客户打电话约时间，讨论整理出来的想法。一个方案常常要改上七八次才可能让客户满意。慢慢地，他发现，自己曾经热爱的工作现在却变成每天高强度、高压力的脑力劳动，把他当初的激情一点点地“压扁”了。

他说：“那个时候，我把每个策划案的最后期限都用红笔在日历上勾画出来，每天只要一看到那个红圈，头就疼得厉害。到了晚上，甚至连中午吃了什么饭都想不起来。”

他的生活好像只有两个部分，一个是工作，一个是睡觉。就算是睡觉，他也仍然做着与工作有关的梦。在最忙的日子里，程志新甚至断绝了与所有朋友的联系，一心扑在工作上，甚至每次大学同学的聚会也因为忙于工作而不能参加。后来，再也没有朋友联系他了。

直到有一天，程志新下班回家，偶然看见了楼下的一个广告牌，这才幡然醒悟。

“当时我心里很难过，因为那个广告牌是我全权负责的，虽然已经挂了好几个月，可我每天都忙于上班，从来都没有认真地看一眼。”程志新回忆道。

那一幕让他想起了自己刚刚入行时，最大的快乐莫过于站在自己设计的广告牌下，细细体会那种成就感。当天晚上，他趴在床上开始仔细地重新审视自己的生活状态。经过一夜的思考，他决定把自己的生活节奏放慢些。

从放慢脚步的那天开始，程志新每天都会到楼下看看自己做的那个广告牌，细细品味自己的工作成果。后来，他试着每天回家都把手机关掉，在家里也不去看公司的邮件，而且还主动和已经很久没有联系的朋友们打电话聊聊天，享受“慢生活”带来的久违的快乐。

程志新刚开始这样做的时候，很担心慢下来会使工作业绩下降等之类的问题出现。但是，后来他发现，如果不主动放慢节奏，自己的生活节奏会越来越快，那样会失去更多的东西。

许多人只懂得埋头苦干，使得自己疲惫不堪，却没有时间去思考一下自己所做的事情究竟是什么，到底会产生怎样的结果，有没有更好的方法。生活从来不因为谁的忙碌而改变，但这个人却会因为忙碌而逐渐迷失自我。

为什么不学会忙里偷点闲？暂时放下工作，把塞满文件、数据和问题的头脑彻底清空，到安静的地方散散步或者听听音乐，看看喜欢的书籍。这种休息往往可以把你从旧框框中解脱出来，激发你的创造力，激发你的灵感和创意。

放慢身心，享受快乐“慢生活”。你会发现身边有那么多美好的人生风景，它需要一双善于发现风景的眼睛才能观察到。人生注重的不是结果而是过程，结果在未来，我们无从预料，可是过程就在现在，享受与否，都在于你自己。

第十四章

心理暗示力：想最幸福的事就是最幸福的人

心理暗示是一种心理现象，有积极暗示和消极暗示之分。在我们心情不好的时候，如果一味地给予自己消极的心理暗示，只会“雪上加霜”，令心情跌落谷底。我们该做的，是给予自己积极的心理暗示，告诉自己：有不良情绪很正常，我一定能克服，终有阴霾尽散的一天。

1. 自我暗示的强大魔力

生活态度积极的人，内心必定充满活力，即使遇到再大的困难也不会放在心上。因为他们有一种强者所必备的心理状态——自我暗示。如同任何事物都有两面性一样，这种自我暗示也可以划分为两种，积极与消极。

如果我们总是对自己说，我们压力大、很紧张、快受不了了，我们肯定会失败，那么等待我们的肯定就是压力、紧张、崩溃和失败。积极的自我暗示可以创造奇迹，而消极的自我暗示则使人失去自信，走向失败。也就是说，如果你在潜意识中认为自己一定能够成功的话，就会在内心的“荧屏”上见到一个自信满满、无所畏惧的人，听到“你做得很好，但你会做得更好”这一类鼓舞的话，从而奋力往前冲。

而当你在潜意识中设置障碍的时候，就会认定自己根本没有能力解决这个问题，实际上就是在排斥、拒绝自己睿智的一面。这就会引起心智和情绪淤塞不通，无法获取奋进的动力，最终带来失败后果。

一个名叫约翰的小男孩因为家境贫寒，只好靠拾煤块、捡破烂过日子。这虽然不是什么丢人的事情，但是仍然有同学看不起他。有三个爱欺负人的孩子，经常在放学后从背后偷袭他，以此取乐。每次受到恐吓或挨打，约翰都不敢反抗，而是默默地流着眼泪回家。在他的潜意识中，总有那么一丝自卑心理在隐隐作祟。

后来，约翰读了《罗伯特的奋斗》这本书，从中受到很大启发和鼓舞，于是他开始进行积极的自我暗示：“我是好样的，如果那三个小子再胡来，我绝不能再软弱，一定要把他们打败。”

有一天，在放学回家的路上，约翰又遇到了那三个可恶的孩子。他们一起喊叫着冲过来，约翰没有选择逃跑，而是主动反击。在巨大勇气的鼓舞下，他挥舞着小拳头，对抗三个人。

经过一番激烈的较量，约翰终于打倒了一个，另一个见情况不妙便溜之大吉了，领头的那个也只好退却了。从此以后，那三个孩子再也不敢欺负约翰了。

事实上，约翰并不比几个月前强壮多少，欺负他的那三个孩子也没有体力不支。他之所以能够打败对手，是因为进行了积极的自我暗示之后，在心理上变强大了，所以才扭转了以往经常挨打的被动局面。

其实，那些成功者都有这样一个特质——他们都很善于进行积极的自我暗示，在信念上高人一筹。不管遇到多大的困难，他们都能勇敢去面对，努力走出人生的低谷，最终成为真正的赢家。由此可见，如果想梦想成真、收获幸福，首先要进行积极的自我暗示，打造强大的意志力。

在人的内心深处，潜伏着一种永不堕落、永不败坏、永不腐蚀的东西，那就是关键时刻积极的自我暗示。这种力量一旦被唤醒，即便是最卑微的生命也能绽放出光彩，激励着当事人鼓足勇气迎接挑战，向不可能实现的目标冲锋。一个人若能和自己永不死亡、永不败坏的高贵精神相和谐，他就能发挥无穷的效能，获得意想不到的幸福。

然而，许多人并不懂得深入自己的意识内层，植入积极自我暗示的种子，在关键时刻燃起希望的火花。所以，他们的生命一般都是枯燥而毫无生气的。相反，如果我们能潜入心灵深处，寻得生命的源泉，就能通过正向的自我暗示获得前进的动力。因此，一个人一旦能对内在的力量加以有效运用，那么他的生命将永远不会陷于卑微贫困的境地。

总之，上帝对每个人都是公平的，只是我们更容易看到别人的成功和自己的失败，而不懂得借助自我暗示打开超级意志力，最终输得只剩下抱怨。因此，遇到挫折和失败的时候，不要怨天尤人、自暴自弃，你只须积极地鼓励自己，就能重建获胜的信念。请牢记，积极的自我暗示能帮助我们勇敢面对生活的挑战、解决各种难题，创造成功的奇迹。

2. 快乐人生从积极心理暗示开始

在哈佛大学有一段著名的语录：“你改变不了环境，但你可以改变自己；你改变不了事实，但你可以改变态度；你改变不了过去，但你可以改变现在；你不能控制他人，但你可以掌握自己；你不能预知明天，但你可以把握今天；你不可以样样顺利，但你可以事事尽心；你不能延伸生命的长度，但你可以决定生命的宽度。”由此可见哈佛大学对积极进行自我改变的重视，也正是这样一种理念，才造就了众多的社会精英。

每个人都带着一个看不见的法宝。这个法宝有两种不同的力量，这两种力量都很神奇，它会让你鼓起信心和勇气，抓住机遇，采取行动，去获得财富、成就、健康和幸福；也会让你排斥和失去这些极为宝贵的东西而变得一无所有。这个法宝便是心理暗示。

一个人可以通过积极的心理暗示，自动地把成功的种子和创造性的思想灌输到潜意识的大片沃土中。相反，也可以通过灌输消极的种子或破坏性的思想，而使潜意识这块肥沃的土地满目疮痍。

曾看过这样一篇报道：有一个人被无意中关进了冷藏车。第二天早上，人们打开冷藏车，发现他已死在里面，身体呈现出冻死的各种状态，而实际上，因冷冻机有问题，这辆冷藏车并没有处于制冷状态，车中的温度同外面的温度差不多，根本就不可能冻死人。

当人处于一种陌生、危险的境地时，会根据以往形成的经验，捕捉环境中的蛛丝马迹，来迅速做出判断。这种捕捉的过程，也是受暗示的过程。例如，当面临困难的时候，人们会自我安慰："马上就过去了。"从而减少忍耐的痛苦；而当人们在追求成功时，会设想目标实现后的情景，这一情景对人也构成一种暗示，它为人们提供动力，提高抗挫能力，保持积极向上的精神状态。报道中的那个人被关进冷藏车之后，因为不知道冷冻机有问题，会不断地担心自己要被冻死，这种意识对他的身心发生了影响，最后他就真的被自己内心的恐惧冻死了。

对待周围事物的态度往往反映了自己的心智。相反，对周围人与事评价的改变同样会影响人们的心态。多去赞美周围的事物，把眼光集中于积极方面，就会不自觉地向自己传输积极的暗示；而如果把眼光局限于事情的阴暗面，则会受到消极的心理暗示。所以，适当调整对待周围人与事的态度，会大大影响自己的心理暗示。

任重是一家医院的医师，这天，医院里住进了一位年迈的老太太。

傍晚时分，老太太找到值班的任重："医生，很抱歉这么晚来打扰你。我的安眠药吃完了，怎么也睡不着觉，不知道你能不能给我找一些？"

靠吃安眠药维持睡眠的人大多有一些心理或生理上的病变，任重本想拒绝对方，但他看到老太太十分疲惫的脸庞，又十分不忍心，这个时候，他突然灵机一动："医院里刚进了一批进口的特效安眠药，但我不知道放在什么地方了，您先回病房，一会儿我给您送过去。"

老太太走后，任重找出一粒维生素片，送到了老太太的房间，并告诉她："这就是那种进口的特效药，您吃了之后一定能睡个好觉。"

老太太接过药片，谢过任重后，高兴地服下了那粒"特效安眠药"。

第二天早晨，老太太兴奋地找到任重："昨晚的安眠药效果好极了，我吃完很快就睡着了，而且睡得很好，好久都没有这么舒服地睡觉了。"

任重用一粒维生素片就让老太太进入了梦乡，这也是心理暗示的作用，由于老太太对医生的信赖，因此丝毫没有怀疑"特效安眠药"的真实与否，在强烈的心理暗示的作用下，那粒维生素片竟然产生了同安眠药一样的效果。

积极的自我暗示，意味着自我激发，它是一种内在的火种，一种流动快捷的自我肯定；它可以使我们的心灵欢唱，建立自信，走向成功。自我暗示的方法很多，每个人遇到的压力不同，自我暗示的方法也不会相同。

你可以经常用一些诸如"我能行""我一定能渡过难关"之类的话语来激励自己，增加自信；你可以经常把自己推崇的伟人的事输入自己的大脑，用他们奋斗的精神来激励自己。

你可以保持强烈的欲望。若有很强的欲望，则会为了要实现的目标而付诸行动，纵使有障碍物，也绝不会改变最初目标。

设定预想的困难。事先把困难考虑到，当真的障碍物横亘面前时，便不会气馁、灰心，即使受到挫折，因为事先有心理准备，也不会轻易放弃。

决定终点线。量化目标，让自己经常品尝成功的喜悦，能有效地增强自信。

经常进行积极自我暗示的人，在每一个困难和问题面前看到的都是机会和希望；而经常进行消极自我暗示的人，在每一个希望和机会面前看到的都是问题和困难。只要你能时常给予自己积极的心理暗示，美好的人生就不难成就。

3. 有效的自我激励：让你在任何情况下都不会被打倒

人的一生就像是一场马拉松比赛，虽然一路上都有人为我们加油、鼓掌、喝彩，但这些都只是外在的因素，要想在这场比赛中夺得名次，还得依赖来自我们内心的力量，这股力量便是自我激励。

激励是描述人们活动的一种内心状态，即人们内心想要得到满足的各种需要。这些需要会对人们的行动起引导、推动、加强的作用。有时，我们需要老师和同学的帮助、朋友的勉励、大众的扶持；但光靠别人是不能从根本上达到目标的，最重要的还是靠自己，大部分的成功者，都是善用自我激励的人。

有时，只是一句简单的自我激励的话，我们便会付出全部努力以达到这一目标。例如，“我要成功”便是一句自我激励，也是能够推动我们前进的动力。哈佛大学心理学家威廉·价姆士通过研究发现，一个人若没有受到激励，只能发挥他能力的 20% ～ 30%，而当他受到激励后，便能发挥出相当于激励前 3 ～ 4 倍的作用。善用自我激励的人，在任何情况下都不会被打倒。

他叫邢帅，是一所网络教育学院的院长，2013 年时，他的网络教育学院发展到超过600名教师，付费学生超过15万名，营业收入超过1亿元。是什么使这个1984年出生的年轻人有如此大的成就？是他的自我激励。

邢帅在高中读了7年，却只考进了云南的一所二流大学。但他并没有“珍惜”这次来之不易的读书机会，大二那年，他选择辍学自谋生计。对此，老师、同学们评价“不靠谱”，父亲更是恨铁不成钢。

邢帅深知乡下的父母为自己筹学费多么不易，他想早一点投身社会为家里减轻负担；7年才进了一所大学，在别人看来他是愚笨的，但邢帅自己却不这样认为，“天生我材必有用”，他经常用这句话来激励自己。

辍学后，邢帅将家人寄来的大学学费买了一台电脑，并参加了一个培训班，学习photoshop软件设计，很快，邢帅便能在网上接一些设计任务来赚取佣金。这是一份能充分发挥自己才智的自由职业，邢帅相信，他一定能在这一行干出些名堂来。用邢帅自己的话说就是“我一定能行”。

2008年的经济危机来势凶猛，几乎波及了任何一个领域，连邢帅这个小“个体户”也不例外。没有了收入来源，邢帅开始四处去应聘。然而，应聘队伍中比他有才华有资历的设计人比比皆是，无论他怎样降低薪资，就是没有一家单位愿意录用他。

邢帅也沮丧过，在他的家当只剩下50元人民币时，他也怀疑过自己当初的选择是否正确，但这种彷徨只是短暂的，“天生我材必有用，成功离我不会太远了”，他不时地为自己打气。

一个偶然的机会，邢帅有了筹办一个专门针对草根用户的实惠培训班的想法。在别人看来，他可能是异想天开，一个只有50元人民币的落魄年轻人怎么去实现这么宏伟的目标？但邢帅可不这么想，他相信自己是一个干大事的人。

说干就干，他在QQ群、论坛和贴吧里轰炸式地发布招生广告，并整理出一份讲义，开始他只能孤军奋战，那是一所只有他一个老师的学校。在起步的一年里，邢帅每天都待在出租房里，早上醒来就打开视频，从 8 点讲课到晚上 12 点。下课后还得备课，每天他只有两三个小时的休息时间。这一年，邢帅的收入只有 3 万多元。收获虽少，但邢帅却赢得了一个好口碑，摸索出了一套网络培训的经验。

2009 年初，邢帅组建了一个 10 多人的授课团队，开始进驻 YY 语音频道。同年 10 月，邢帅正式建立网络教育学院，课程也从最早的软件培训扩展到平面设计、插画等方方面面。

正是因为善用自我激励，邢帅才在创业中的任何时候都没有被打倒，正是靠着有效的自我激励完成了从辍学农家子弟到行业领军人物的完美蜕变。如果没有他一次又一次地自我激励，相信他一定早被淹没在了年轻人的创业大潮中。

我们每个人都像邢帅那样需要希望、力量和勇气，但如果缺乏了激励，我们便会失去足够的热情，没有热情，目标离你很近你也完成不了。

为了完成目标，你永远不要停止自我激励。

（1）把握好情绪。高兴的事不要在自身以外去寻找，它往往就在你身边。因此，你可以根据自己的情绪，去不断地进行自我激励。

（2）加强紧迫感。不要总躺在舒适区里，舒适区只是临时的避风港，而不是安乐窝。我们应该不断地寻求挑战，加强紧迫感，激励并提高自己。

（3）调高自己的目标。我们之所以不能达到自己的目标，是因为我们的主要目标不够远大和宏伟，也不够清晰和具体，一个既具体又宏伟的远大目标能够真正地激励你奋发向前。

（4）要敢于竞争。竞争会使我们拥有宝贵的经验，不管你在什么地方，都要满怀快乐的心情去参与竞争。要懂得超越自己比超越别人更重要的道理。在竞争面前，我们更要会运用自我激励。

（5）提高自我期望水平。如果我们觉得自己能成功，我们便会成功，这种期望的自我实现效果已经由实验得到证明，它是自我激励的一种表现。

4. 主动适应无法避免的事实

既然已经成为现实，那就接受吧，而后再寻找改变的方法。唯有这么做，心中才会少一些抱怨，多一丝快乐。

人们总是追求美好的结局，却忘了生活原本就充满了未知。现实不是童话故事，没有那么多王子拯救公主的剧情，有些烦恼无法躲避，与其后悔、埋怨，还不如像大地承接雨露般欣然接受。面对无法避免的事实，只有主动适应才能减轻痛苦和伤害。

惠特曼写过这样一句诗：“哦，要像树和动物一样，去面对黑暗、暴风雨、饥饿、愚弄、意外和挫折。”有些不幸发生了，虽然是一种可怕的灾难，但也是一次历练的机会。

事实上，生活从来不会停下脚步，不会在乎你是否快乐、幸福。最值得称赞的态度是接受眼前的一切，或许你会发现事情没有想象中那么糟糕。痛苦是可以忍受的，无须抱怨上帝不公平，哪怕现实不留任何选择的余地，你也可以选择改变自己，从而减少内心的煎熬，活出另一个自我。

许多时候，生活是善待我们的。享受它所赠予的一切，才会变得从容不迫。遭遇挫折打击的时候，不妨微笑着面对，再苦再难也要开心快乐。真正能够左右心情的不是环境，而是面对不同环境所做出的反应，是个人主观方面的判断。

哲学家威廉·詹姆斯曾说：“要乐于承认事情就是如此。能够接受发生的事实，就能克服随之而来的任何不幸。”我们永远都改变不了现实，只能承认已经发生的一切，而这恰恰是避免更多不幸的第一步。

逃避现实，会让人意志消沉，无法走出阴影，造成心理上的障碍。既然已经演出了一场悲剧，为什么还要让这种悲伤蔓延，摧毁更多的快乐和幸福呢?

当然，对于无法改变的现实，我们要接受并且努力适应；但是如果事情并没有定局，还有扭转的余地，哪怕只有一丝希望、一丝可能，我们也要奋力一搏，把损失降到最低。有了这种态度，忧虑就无法占领我们的身体。

第十五章

看淡得失：如果事与愿违，请相信一定另有安排

我们该如何与这个世界相处？生命无常，所以我们更要相信，眼前的一切都是最好的安排。即使深陷绝望的境地，也要寻找希望的光亮，用平和的心态过完这一生。

1. 眼前的一切都是最好的安排

在这个充满变化的世界里，不确定性因素常伴左右，你永远无法掌控眼前的一切。然而，人们总是期待最好的安排，特别是遇到不顺心的事情时，会认为自己遭遇了不公正待遇。

起风了，树叶被吹落下来。有的叶子落到了小河里，有的叶子落在了草地上，还有的叶子掉在了粪坑里。就是这么一股风，让本来生于同一棵树上的叶子有了不同的命运。人生何尝不是如此呢？

坦然面对眼前的一切，学会接受各种人和事，不沉浸在痛苦和后悔中，人生才能多一抹亮色。

黛西是一位婚礼策划师，年轻貌美，她的男朋友杰克高大帅气，真是羡煞旁人。她的最大愿望就是能够给自己设计一场美轮美奂的婚礼，但是这个美好的愿望却被残酷的现实击碎了。

杰克认识了一位银行家的女儿——露娜，后者疯狂地爱上了杰克。露娜用父亲的地位诱惑杰克，结果杰克经不起诱惑和黛西分手，和露娜走到了一起。

更让黛西难以接受的是，露娜竟然找黛西的公司策划婚礼。关键时刻，公司的婚纱设计师约翰站了出来，帮助黛西渡过了眼前的难关。约翰给黛西讲笑话，按时送饭，还帮忙应付难缠的露娜。在他的周旋下，露娜放弃了与公司的合作，黛西避免了尴尬，挽回了面子。

黛西的心情变得好多了，却始终没有察觉到约翰的爱意。直到有一次到约翰家做客，她无意中翻看到约翰的婚纱设计手稿，才惊讶地发现里面的每一款婚纱都是为自己设计的，旁边还写着约翰当时的感受。

直到这一刻，黛西才明白约翰的良苦用心，感动得流下了眼泪。她扑进约翰的怀里，两个人相视而笑。

面对男友的背叛，黛西一度对生活失去了信心，也忽略了约翰的关心。不过，她又是聪明的，发现了约翰的爱慕之情。她感恩上帝送了一位天使守在自己身边，也相信眼前的一切就是最好的安排，由此，开启了另一段幸福的人生。

有时一些不愉快的事情会长期纠缠着我们，甚至让我们的内心产生恨意，但这又有什么用呢？不如给自己一个理由原谅对方，这样心才会释然。坦然面对眼前的一切，学会理解和接受事实，你终将发现生活中另外的美。

对过去的生活不满意，甚至充满悔恨，这是一种悲观消极的情绪。如果任由其积压在心底，会让你失去生活的勇气，或者变得极端，对人失去信任。更可怕的是，你会因此而错过生活中真正爱你的人和那些值得珍惜、留恋的事情。已经发生的，就让它随风而逝，因为幸福就在眼前。

2. 得失都应当随缘

人生之中的得失本是常事。如果已经失去了，何必再去苦求；如果已经得到了，何苦再去贪求；如果情已逝、缘已尽，再多的强求也是枉然。是你的，就是你的；不是你的，怎么也不会是你的。命里有时终须有，命里无时莫强求。我们可以做到的，就是不必计较，随他去，珍惜眼前，看淡得失，这才是人生的大智慧。

其实，在人生路上，有什么样的得失或许不是你能决定的，但拥有什么样的处世方式是你可以选择的。该得到的时候坦然得到，该丢失的时候就淡然丢弃。失去了就不要惋惜，要有随缘的心态。

随缘是面对生活的态度，是博大的胸怀，是自信与自省。在得失上随缘，能减少得失对内心的影响，内心平静了，生活也就自在了。真正懂得随缘的人，无论遭遇何等的风云变幻，都能游刃有余。随缘是心灵的解放，随缘之心能让我们在坎坷的生活道路上，始终保持心中的宁静与淡泊。

当你认为得失随缘的时候，你就永远不会失落，永远不会失望。但是你如果计较得失，只会让自己陷入无穷无尽的烦恼中。在现实生活中，不少人做事情，往往会无意识地想到其最终可能的结果，过分关注其中的得失，使自己置身于烦恼之中而不能自拔。其实，只要得失心不要太重，烦恼自然就会远离我们。

特蕾莎从小生长在位于阿拉斯加州教区的一个修道院里，一年夏天，她看到院里的草地上一片枯黄，整个院子看上去很难看，于是就对院长说：“院长，快快撒点草籽吧！这草地太难看了。”

院长说："不着急，什么时候有空了，我去买一些草籽。什么时候都能撒，急什么呢？"

过了些时候，院长把草籽买回来，给了特蕾莎，说："去吧，把草籽撒在地上。"特蕾莎接过草籽，高兴地说："草籽撒上了，地上就能长出绿油油的青草了！"

谁知天起风了，特蕾莎一边撒，草籽一边飘。"不好了，好多草籽都被吹走了！"特蕾莎停下来喊道。

院长说："没关系，吹走的多半是空的，撒下去也发不了芽，担心什么呢？还是随性吧！"

特蕾莎只好把草籽全撒在了院子里，过了一会儿，草籽招来了许多麻雀，这些麻雀在地上专挑饱满的吃。特蕾莎看见了，惊惶地说："不好了，草籽都被小鸟吃了，这下完了，明年这片地上还是长不出小草！"

院长说："没关系！草籽多，小鸟是吃不完的。你就放心吧！明年这里一定会长出小草的。做人要随意点！"

当天夜里下了一整夜的雨，雨好大，特蕾莎一直不能入睡，她担心草籽被雨水冲走了。第二天早上，特蕾莎早早就跑出了房间，果然地上的草籽都不见了。于是她马上跑进院长的房间，告诉院长昨夜一场大雨把地上的草籽都冲走了，她着急地问院长："这可怎么办呀？"

院长不慌不忙地说："不用着急，草籽被冲到哪里，它就在哪里发芽！一切都随缘吧！"

过了没多久，许多青翠的草苗破土而出，原来没有撒到的一些角落里居然也长出了许多青翠的小苗。

特蕾莎高兴地对院长说："院长，太好了，我们种的草长出来了！"院长点点头说："顺其自然，得失要随缘，不必刻意强求。"

特蕾莎听了，再一联想在种草的过程中院长对自己讲的话，突然明白了院长的用意，原来院长是在向自己说明，人生在世要保持一颗平常心，看淡得失，一切随缘。

大千世界，得与失原本就是密不可分的。生命在一点点凝聚的同时，也在分分秒秒地消逝。当人们手握青春之时，已经挥手向快乐的童年告别；当人们左右逢源之时，锐气和坦荡已经远离；当人们享受午间暖暖的阳光时，必然要告别宝贵的晨光；当人们享受都市充裕的物质生活时，必然要离开悠闲的田园生活……人生有得必有失，万事没有周全的。

积极乐观的人说到底是对得失有正确认识的人，他们遇到困难、面对失去时，往往会对着镜子给自己微笑、鼓励，提醒自己敞开胸怀，不要让失去的事物干扰自己未来的快乐；而在受到利益的诱惑时则会不贪心，懂得适时退却的道理。所以，在生活中我们要注意培养坦然的心态，养成辩证看待得失的个性，才能收获快乐和幸福。

人生要留一份从容给自己，这样就可以对不顺心的事，处之泰然；对名利得失，顺其自然。要知道世上所有的机遇并不都是为你而设的，人生总是有得有失，有成有败，生命之舟本来就是在得失之间浮沉。

既然命中注定，我们就去淡然面对。当我们无论如何努力都无法把握结局，当我们的期待只会给自己带来失望与伤痛的时候，我们可以放弃这份期待。

拿起来容易，放下太难。岂止是钱财，譬如权力、地位、感情，凡此种种，无不在得失间转换轮替，非得即失。人生就是不断得到，又不断失去的过程，不管你是否参得透，终究无法逃避。

因此，人生在世，需要有一种放弃的智能。坦然面对成败输赢，得到了不要太高兴，失去了则不要过于悲伤。不要过分关注得失，失得都是一样，有得就有失，得就是失，失就是得，所以一个人最高的境界，应该是无得无失。得失之间，一切随缘，还是看开一些更好。

总之，尽管人生总要经历很多失败和不如意，但是只要具有平常心、淡然心、感恩心、博爱心，做到让自己在面对人生得失时保持冷静，成功时不会忘乎所以，失败时也不会灰心丧气，用平常心来看待生活中的一切得失、成败。只要在得失面前表现得淡然、坦然，就一定能够经受住风雨，得见彩虹。

3. 将一切看淡，反而收获更多

我们在面对各式各样的困难与挫折的时候，总会因为自身处在旋涡中心，而产生“旁观者清，当局者迷”的感觉。

被不同的事情牵绊着，每每向前行走，我们就会不经意间回首往事。一些人、一些事，总让我们难以释怀；除此之外，我们追求着本来单纯的梦想，却经常脱离初始的轨道，开始追名逐利，去争夺一些虚无缥缈的东西。我们把一切看得都重，却收获得最少，最终郁郁不得安。其实，如果我们面对一切时都能看淡，做一个潇洒的旁观者，也许，我们就不会为心所绊，以至于头脑中生出错误的决定。这样我们就会少一些后悔，少一些遗憾，多一些自信，多一些骄傲。

青春年少的我们，认为轰轰烈烈的人生才是一种精彩，幻想着电影剧情般的生活，罗曼蒂克的爱情，一帆风顺的工作。然而，当我们慢慢变得成熟后，却发现原来平淡的生活才是自己的追求，风平浪静的人生才是最好的。

有时候要得太多，反而会得不到，倘若凡事看淡，静下心来，反而会收获更多。常言道，谋事在人，成事在天。对人力不能左右的事情，不需要有太多的想法，也不需要缜密的规划，太过公式化的生活会让人失去原本的活力，顺其自然反而会有意想不到的收获。经历过很多事情后，我们就会明白，许多正确的决定，往往是在看淡了之后，才能清晰地浮现在脑海中。

巴西作家保罗·柯埃略在《少女布莱达灵修之旅》中写道："对人生，有两种不同的态度——建造或者耕耘。建造者实现目标可能要花费多年，但终有一天会完工。那时他们会发现自己被困在亲手筑成的围墙里。在收获的同时，生活失去了意义。选择耕耘者则需要经受暴风雨的洗礼，应对季节的变换，几乎从不歇息，他们允许人生充满不考虑未来、不考虑收获的冒险。"

在保罗看来，建造者时刻关注着距离自己的目标还有多远，时刻考虑着结束的时候会不会有收获，而耕耘者则是尝试着耕耘，不问结果。

耕耘者的人生信条是：耕耘就是收获。

选择做建造者还是耕耘者，是人生的大问题。努力过却没改变人生的机会，于是我们开始抱怨生活，抱怨社会，抱怨节奏快，抱怨压力大。我们叹息着，犹豫着，为了生存，为了生活得更好，只得硬着头皮向前。然而，生活的轨迹不一定会因为我们的付出发生改变。

都说天道酬勤，一分耕耘就有一分收获，所以我们一点都不吝啬自己的勤劳。然而，当付出得不到回报时，我们便开始抱怨。

抱怨是一剂慢性毒药，不仅使我们的身体中毒，还让我们对人生的态度发生变化。在充满怨恨的空气中生活，我们的毅力会不断被消磨，就像一拨"溃堤"的蚂蚁，激情与精力瞬间被生活的洪水摧毁。

有位叫斯尔曼的残疾人，很早便患了慢性肌肉萎缩症，单是行走就很困难，然而他依靠坚强的毅力和顽强的信念，创造了无数奇迹。年仅9岁的小斯尔曼就随科考队攀登上了世界第一高峰珠穆朗玛峰；21岁时，他跟随朋友们一起登上了阿尔卑斯山；第二年，他又登上乞力马扎罗山。不到30岁的斯尔曼登上了闻名世界的所有著名高山，不得不说这是一个真正的奇迹。

然而，谁都没有想到的是，就在他即将过29岁生日时，他却自杀了。据说，在斯尔曼年幼的时候，他的父母在攀登珠穆朗玛峰时不幸跌下山，受重伤而亡。临终前，斯尔曼的父母希望斯尔曼能像他们一样征服所有的高峰。年幼的斯尔曼把父母的临终遗言作为人生的理想。在他实现这些目标时，便产生了无法抗拒的绝望感。

斯尔曼留下的遗言是："当我攀登了那些高山后，我感到世界上没有任何事情值得我去做了。"

我们可以猜想，假如斯尔曼不是把登山当作自己人生的最高理想，而是去享受登山的过程，他就不会在完成目标之后陷入深深的空虚。斯尔曼把人生的最高理想定为征服世界上的高峰，有的人可能会嘲笑他的目光短浅。然而，仔细想一下，很多人自己何尝不是像斯尔曼那样把人生的目标定为一个个点？读完小学，读中学；读完中学，读大学；读完大学，找到工作；有了工作，接着组成家庭……我们的人生像通关游戏，在某个过程中一旦没有达到目标，便会陷入深深的痛苦与绝望。

我们不妨停下来想一想，为什么不做一个简简单单的耕耘者呢？

不一定所有的春耕之后都有秋收，不一定所有的春华之后都有秋实。人生并非不断地奋斗收获，收获后再继续奋斗，我们应该学会享受这种顽强坚持中的每时每刻。太在乎成绩的人，往往会忽略对每一个波澜壮阔的感悟，也不会把多姿多彩印在脑中，所能记忆的只有最终的那份苦闷与艰难。

其实，在不断奋进的路上随时都会产生快乐，只不过我们一心盯着终点，没有留意罢了。所以，我们不应该将快乐简化为目标达成后的那一瞬间浮华。

我们执着于要做出成就，无可厚非，但人生的本质不应被误读。将身边的事看淡一些，生活的目的是追求快乐而非冷冰冰的成功。

欲望往往会干扰前行的脚步，疾行中的我们会因此而摇摆不前，犹如被套上枷锁，失去了自由，也失去了本真。我们之所以觉得活得很累，那是因为我们无意中把结果当成了一切，忽视了享受过程。

在这个浮躁的世界上，无数人奔走在追求成功与收获的漫漫长路上，他们茫茫不知所至，渐渐地迷失了原本的方向，忘记了人生本来的快乐。他们总是被痛苦所打击，于是尽力忍受着，时间一久便只能感受到痛苦而麻木一切。对结果的期望越高，实现起来就越难，一旦无法实现便开始焦躁，痛苦也就多了起来；痛苦太多，心力必然交瘁。当这种情况达到极限时，就必然会在愤懑和失落中沉沦下去。

人是大自然的一分子，需要像世间万物那样顺其自然，不仅要承受狂风暴雨，严寒酷暑，也要享受阳光雨露的滋润，享受生命中的点点滴滴。

生命的过程是回归自然的过程，不刻意，不妄为，不造作，一切随缘。不管前路有多少障碍，无论怎么样，都保持自然、随性的心态，尽力去做，至于结果则一切随缘。

4. 保持一份宁静、淡泊的心胸

人世间有种种的诱惑，所以我们会有许多的欲望。一个人要以清醒的心智和沉稳的步履走过岁月，他必然要保持淡泊、宁静的心胸。否则，他的生活将充斥着无聊和烦恼。安于淡泊的生活，并能以淡泊的态度对待生活中的奢华和诱惑，让自己的灵魂得以安宁的人，于自己是流水一样的轻松，于别人是高山一样的宁静。

淡泊，是以一颗纯美的灵魂对待生活与人生，保守一份内心的纯净、一份对世事的清醒。淡泊犹如美好的天籁，使人在嘈杂的尘世得到安宁和洗礼。淡泊是一种志向，是一种人生态度，追求淡泊的人，生活的道路上永远开满鲜花，芳香四溢。如果人能悟到淡泊宁静的真谛，就不会再被生活逼迫，不会再因人事而精疲力竭。

歌德说："生活本身就是一条河。它需要激流，但更多的时候，它是平静向前的。"拥有淡泊之心，才能拨云见日体会到生活的真正内涵，才能不会再被生活逼迫，不会再因人事而精疲力竭。否则，只能在生活的边缘徘徊，只能是舍本逐末。追求名利的人，生活的道路上会布满陷阱，只能在生命终结的一刻才能体会到稍纵即逝的一丝快乐。

经常出入图书馆的同学总能看到这样一个女孩，她穿着普通大学女生都喜欢的衣服，留着普通的发型，每天在图书馆静静地看书学习。不认识她的人总感觉她举手投足之间有一种与别人不一样的气质，而了解她的人都知道，她是一个很了不起的女孩。

她叫凯瑟琳，父亲是州长，母亲是一家内衣公司的董事长。而她自己从小就非常优秀，所得的荣誉和奖杯堆满了橱柜。大学两年，她的各项成绩都遥遥领先。一年级时，她曾代表学校参加了优秀大学生比赛，最终获得了冠军，得到了总统的接见。她的照片被挂在学校网站的首页，被贴在学校的橱窗内。她的事迹被同学们争相传颂，她的名字成了在学校提及率最高的名字。但是，很少有人在公共场合见到她本人，她总是安静地过着自己的生活。

一次，学校的论坛邀请凯瑟琳为同学们做一场报告。凯瑟琳本不愿意参加，后来被工作人员的诚意打动，第一次在校园的公共场合出现。同学们对这个神话般的人物非常好奇，纷纷提问。当被问到"为什么这么低调"时，凯瑟琳说了这样的一段话：

"我的表现并不是低调，我只是喜欢安安静静地生活而已。那些萦绕在我头上的荣誉其实都是过眼云烟，我从来不觉得它们有多重要。相反，我认为，内心的宁静才是最宝贵的。如果我总是炫耀这些荣誉，大家肯定会讨厌我，我也得不到任何快乐。现在，我每天都有时间悠闲地在图书馆看书，不用去应付各种采访报道，不用被父母带着去参加各种上流社会的聚会，这样的生活不是很幸福吗？”

是的，现代社会的竞争和压力使人心浮躁不安，原本安谧的生活因为淡泊之心的破坏而荡然无存。人们一旦心浮气躁，必然急功近利，盲目狂热，不愿意踏踏实实地追求成功，其结果只能是庸庸碌碌，一事无成。而饱受了损伤的心灵，总是先从学会淡泊的生活开始的。

内心保持宁静淡泊，会使我们的生活更加充实丰富，会让人性回到本真的纯洁自由状态；淡泊犹如天上的白云，地上的泉水，它是一种气质、一种修养、一种成熟而坚强的人生理念。每个人的一生都难免会被烦恼忧愁打扰，如果你能淡然处之，始终让心湖一片宁静，你便会觉得原来一切都是那么的美好，原来生活从来没有亏待过你。

第十六章

难得糊涂：装得住糊涂，寻得着静处

聪明难，糊涂更难。难得糊涂是一种气度，是大智若愚的处世智慧。它能使人超凡脱俗、胸襟坦荡、气宇轩昂、洒脱不羁、包罗万象。要做到难得糊涂，必须要做到“该糊涂时糊涂，不该糊涂时决不糊涂”。正是难得糊涂的警醒，才能使人们在当今的纷争世界里，以豁达之心笑看风云变幻，潮起潮落。

1. 凡事不必太较真儿

人生如风云，总是变幻无常。早起时“春光潋滟晴方好”，傍晚便会“黑云翻墨未遮山”；今日你“春风得意马蹄疾，一日看尽长安花”，明日就可能“云横秦岭家何在，雪拥蓝关马不前”。所以，没有人的一生是一马平川，万里坦途，生活和工作中难免会遇到令人不愉快和烦闷的事情。当你从人生的高峰跌入深谷时，千万不要钻进牛角尖，那样只能让你越陷越深，最终陷入深渊、无法自拔。

不较真是阅历广、涵养深的表现。凡事斤斤计较，锱铢必较必然是浅薄之人。当他的眼里只看到一朵花的凋谢，他将会失去整个春天的美丽；当他总是对别人的一次错误耿耿于怀，他将很难体会到友谊的真诚和温暖。不较真之人是睿智的、聪慧的，他们懂得在遇到人生的死胡同时，转身寻找其他出路，或者为自己找来几块垫脚石后越墙而过，他们懂得"金无足赤，人无完人"的道理，不过分计较生活的瑕疵，而是去关注生活的全貌。

大河当道，高山阻路时，不要试图拿生命去冒险，绕道前行，你或许能看到更美的风景。当因遇到不愉快的事而情绪不佳时，不要钻进牛角尖，不妨试试转移自己的注意力，比如积极参加社交活动。人是社会的一员，一个离群索居、孤芳自赏、生活在社会群体之外的人，是不可能获得心理健康的。所以，积极参加活动是转移痛苦最有效的方式。亲人的关爱和理解，朋友的支持和帮助，甚至陌生人善意的微笑，都能使你压抑的情绪得到缓解，使你失去平衡的心理得以恢复，使你获得新的思考，增强战胜困难的信心。

人生的所有烦恼都有一个共同点：倘若你越在意它，它就越肆无忌惮地在你周围张牙舞爪。倘若你对它视而不见，它就会收起嚣张的气焰躲进黑暗的角落。所以，凡事不较真的人必是潇洒之人。"水至清则无鱼，人至察则无徒"，太较真之人，眼里揉不进沙子，鸡毛蒜皮的小事也要说个是非曲直，满眼都是不平之事、不喜之人，最终只会把自己与社会隔绝起来。

吉尔和杰登是同班同学。两个小姑娘来自相同的城市，有着相同的爱好，性格都非常开朗，很快就成了无话不谈的好朋友。她们一起吃饭，一起逛街，一起参加社交活动。大学二年级时，她们同时喜欢上了高年级的学长。吉尔喜欢的学长是一位来自韩国的留学生金成灿，有着韩国男生独有的帅气外表。吉尔感觉只要金成灿一笑，她的世界就阳光明媚。杰登喜欢的男孩是一位中国男生成峰，他在美国学习法律，有着良好的修养和中国人特有的温文尔雅。情窦初开的姑娘发疯似的喜欢着外国男孩。她们会制造一起起校园偶遇，在男孩参加的社交活动中找各种理由引起他们的注意，尾随男孩几个小时来摸清楚男孩平时都和什么样的人接触。

在情人节这天晚上，她们两个决定去表白。吉尔和杰登花了很长时间把自己打扮得漂漂亮亮，给彼此一个拥抱然后出发了。凌晨一点，醉醺醺的吉尔回来了，打开灯之后，发现杰登正在墙角哭泣。她上前抱住杰登，说："金成灿学长说他一点都不喜欢我。算了，醉过就没事了。"

杰登说："成峰学长有一个非常漂亮的中国女朋友。呵呵，真的很漂亮。"

情人节的晚上，两个小姑娘一起失恋。吉尔自晚上买醉之后就再也没有提起金成灿，而杰登却钻进了牛角尖。她总是跑去质问成峰为什么不喜欢自己，甚至要到中国去见成峰的女朋友，最后在一天下午她割腕自杀了。杰登钻进了自己设定的笼子里无法走出，失去了年轻的生命。而吉尔没有较真，很快从失恋的痛苦中走出，她的人生还是那样年轻和美丽。

古今中外，凡是成大事者必是豁达洒脱之人，能容人所不能容，忍人所不能忍。不较真之人必然不会目光如豆、斤斤计较，必然不会纠缠于琐事，必然有拿得起放得下的气魄。这样的人才是成大事、立大业的不平凡之人。

多一些体谅，多一些理解，多一些宽容，人生就会多一份友谊，多一分和谐，多一分快乐。凡事不要太过较真，用包容、理解的心看待人生中的缺憾，你会有更大的收获。

2. 不拿别人的错误惩罚自己

哲学家康德说："生气，是用别人的错误惩罚自己。"这大抵就是在劝慰人们，面对生活不如意的最好办法，便是不拿别人的错误惩罚自己，而是要选择一种宽广大度的生活态度对待他人、他物、他事。

在现实生活中，无论你是什么工作，学生或上班族；无论你的社会层次如何，富人还是穷人，都不免要面对生活的种种问题。有些是自身问题招致的，我们会选择严于律己，批评自己以寻求最佳的解决办法，而有些，则可能是由于他人的错误而引起的麻烦，这时，我们应该采取何种态度面对呢？相信你肯定经历过。你都是怎么处理的？

我们说不要拿别人的错误来惩罚自己，就是面对这种问题时最好的处理方法，也就是人们常说的，宽以待人。

不要拿别人的错误来惩罚自己是一种心境的修炼。

首先，不要在看到别人的错误后，将错就错地延续错误，或者去犯同样或类似的错误。我们在发现他人错误的时候，应及时善意地提出意见或者至少应该警醒自己，不要犯类似错误或走入同样的雷区。

其次，当别人做错事情给自己带来了困难时，不要深陷其中难以自拔而一蹶不振，要学会及时抽身，脱离困境和烦恼。当身陷困境时，不必去怨天尤人，而应以乐观积极的态度面对，妥善处理问题，自己帮助自己摆脱困境。

杰克是一名初中生，学习成绩在班里一直名列前茅。他性格阳光开朗，乐于助人，在班里的朋友很多，与大家相处得也十分愉快。与杰克一起长大的吉姆是他最好的朋友，两人朝夕相处，无话不谈。两人都很努力上进，在学习上更是不相上下，经常较量，两人虽是最好的朋友，却也是最激烈的竞争对手。不巧的是，两人在同一个班级从小学到初中，每次考试排名都是杰克第一，吉姆屈居第二，这让性格内向又十分争强好胜的吉姆一直妒忌在心。

偶然的一件小事，两人意见不合，激发了吉姆对杰克的憎恨，也加大了两人之间的矛盾，友情危在旦夕。但令杰克没想到的是，吉姆把事情夸大化并扭曲事实告诉了周围的朋友和班里的同学，歪曲的事实使杰克的朋友们对他嗤之以鼻，并认为他并不是一个称职的好朋友。平日信心满满的杰克接受不了这种精神上的打击和心理上的委屈，这以后就像变了一个人，从此性格内向，不善言辞，就连以前令自己引以为傲的学习成绩也一落千丈。

杰克并没有很好地处理这次事件，他用吉姆犯下的错误惩罚了自己，由此一蹶不振，精神迷惘。他却没有想尝试去解决问题，这是不可取的。这是典型的拿他人的错误惩罚自己，其实生活大可不必这样。每个人都有待人处世的方式，吉姆对他的过分做法只是吉姆内心嫉妒的发泄。杰克最好的解决方式应该是想办法让大家了解事件真相，让大家重新认识自己。然而，他选择了沉默，却害了自己。

假设杰克没有选择拿吉姆的错误惩罚自己，而是大胆地说明事件的真相，周围的朋友们大概也都不会如此对待他，与此同时他的性格也不会发生迥然变化，学习成绩也不至于一落千丈。

如此说来，处理问题和解决事情时持有的态度不同，处理的结果也会是截然相反的。

其实，要真正憎恶别人的简单方法只有一个，即发挥对方的长处。憎恶对方，恨不得食肉寝皮敲骨吸髓，结果只能使自己焦头烂额，心力交瘁。这里所说的“憎恶”是另一种形式的“宽容”，憎恶别人不是咬牙切齿、饕餮对手，而是吸取对方的长处转化为自己强身健体的钙质。

不拿别人的错误惩罚自己，这是人生道路上处理大多数事情的必知哲学。为此，要学会控制自己的情绪，理性地解决问题。不武断，能及时发现错误；不盲目，能够准确地分析错误。真正具备理性思维的人，才能掌控自己的命运，离成功越来越近。

3. 不计较吃亏，才是富有的人生

吃亏是福气，更是一种智慧。它显示了一个人的胸襟，对得失的态度，以及对未来的预见性。“吃亏”也许是指物质上的损失，但是一个人的幸福与否，却往往取决于他的心境。如果我们用外在的东西，换来了心灵上的平和，那无疑是获得了人生的幸福，这便是值得的。若一个人处处不肯吃亏，则处处想占便宜，于是，妄想日生，骄心日盛。而一个人一旦有了骄狂的态势，肯定会侵害别人的利益，于是便起纷争，在四面楚歌之下，焉有不败之理？

我们要学会坦然面对吃亏，能舍弃与牺牲某些利益，要学会“糊涂”，不去计较这些，失去只是暂时的。吃亏有助于我们塑造良好的形象，博得别人的认同、好感以及友谊。

没有人愿意吃亏，那些经常占便宜的人，毋庸置疑是不受欢迎的人。因此，处世做人要吃得亏，吃亏不但是待人处世讨巧的方式，也是做人处世能够成功的不二法门。

有一个叫法拉的20岁的美国姑娘，她读大学时每年都会自愿在暑假期间到洪都拉斯去帮助当地人，向他们普及卫生方面的常识，以提高健康水平。洪都拉斯当地卫生环境非常差，以致在一天早上法拉一觉醒来，竟发现自己与一头猪睡在一起。

不久，她回来向母亲介绍了那里的情况，并表示明年她还要去，因为那地方太贫穷落后了，去帮助那里的人是非常有意义的，她母亲立刻鼓励她再去。也许有人会想：去那么苦的地方，不是太吃亏了吗？但是，法拉的母亲却夸奖她的女儿，她认为法拉有见解、有爱心，并为女儿乐于吃苦、富于奉献的精神而感到骄傲。

法拉在大学毕业以后，就进入了一家出版社，在编辑部工作，她为人活泼机灵，又十分热心，同事们都知道，有事找法拉，绝对没二话，法拉的口头禅是“吃亏就是占便宜”。出版社的工作很忙，老板又不愿增加人手，所以编辑部的人有时还要兼顾一些发行部、业务部的工作。其他的人多干一些活就提出抗议，怨声载道的。只有法拉像旋转不停的陀螺，总是乐呵呵的，指挥她做什么事，她总是二话不说就去做。

甚至是那些搬书、装书的力气活儿，法拉也从来不抱怨，有同事悄悄对法拉说：“图什么呀？又不给加工资，你一编辑，他这是拿你当苦力啊！”法拉却只是一笑：“吃亏就是占便宜嘛！”同事摇摇头。

后来，她像每个部门的临时助手一样，有时连普通员工都知道可以去叫法拉帮忙。取稿、跑印刷厂、邮寄、直销……所有的业务流程，法拉都参与过。

渐渐地，法拉熟悉了出版社的整个运作状况，几年之后，她成立了自己的文化公司。那些“吃亏”时锻炼出来的经验，帮了她的大忙，她一上手运作，便很容易地进入了状态。

天底下不会有白吃的亏。我们应该怀着一颗平常心，不要去自寻烦恼，不要过分计较自己的得与失。“吃亏”大多是指物质上的损失，倘使一个人能用外在的吃亏换来心灵的平和与宁静，那无疑获得了人生的幸福。

一个人，每占一分小便宜，就会丢掉一分人格，一分尊严，不被人们所看好。而一个懂得吃亏、敢于吃亏的人，不仅不会因吃眼前亏而丧失自己的人格，反而更显示出深层次的魅力，更能为自己赢得更多的尊重和敬仰。

乐于吃亏是一种境界，是一种自律和大度，是一种人格上的升华。

任何一个有作为的人，都是在不断吃亏中成熟和成长起来的，并从而变得更加聪慧和睿智。

现实生活中总会有不尽如人意的事情。自己付出的多而得到的少，他人的能力不如自己却比自己混得好。当然吃亏是谁也不想遇到的事，然而我们又不能不去面对现实。有的人在自己吃亏后，始终念念不忘过去的得与失、赚与赔、进与退、多与少、荣与辱等问题，或是后悔自己当初看错人办错事，终日郁郁寡欢，愁肠百结，甚至捶胸顿足、一蹶不振，给自己的生活平添了许多烦恼。

吃亏，虽然意味着舍弃与牺牲，但也不失为一种胸怀、一种品质、一种风度。况且，一个人如果总是不择手段地谋取钱财，追名逐利，那么他必将失去自己的尊严。贪心的人，总是费尽心思去算计别人，在他的热情、仗义与关切的伪装背后，更多的是处心积虑地对别人的进攻与伤害。不怕吃亏的人，总是把别人往好处想，在别人所谓的迂腐、软弱的背后，是一个阔达、宽容的不设防的世界。不怕吃亏的人，才会在一种平和自由的心境中感受到人生的幸福。

总之，一个人如果懂得付出，不计较“吃亏”，才能拥有一个富有的人生；相反地，如果锱铢必较，只知道接受，却吝于付出，必定是一个贫穷的人生。

4. 为何苦苦寻觅却一无所有

“众里寻他千百度，蓦然回首，那人却在灯火阑珊处。”这是王国维提出的人生三境界中的第三境界。大概是指人在经过多次周折、多年磨炼之后，就会逐渐成熟起来，就能明察秋毫，豁然领悟。所谓踏破铁鞋无觅处，得来全不费工夫，这便是厚积薄发、功到自然成。

这大致可以理解为，人生之中的有些东西，不必太过于执着，有时你苦苦追求却不一定能够得到，反而内心痛苦；相反地，如若经历磨炼和执着追求后能够放下内心的包袱，以乐观的心态面对，那么可能会得到令人喜出望外的结果。

这大概就是人生的奇妙之处吧！有的人苦苦寻觅却不可得，有的人在无意间收获了意外的惊喜。人生在世，在追求自己的远大目标和人生理想时，乐观是一种心态，愁苦也是一种心态，为了达到同样的目的，那为何不选择“书山有路乐为径，学海无涯趣作舟”呢?

如果是你，你是选择乐观地去挑战，还是悲观地去寻觅?殊不知，面对人生道路上的坎坷挫折，心态最重要。

为什么这么说?因为不同的心境造就了不同的人生观和价值观。在追求理想的道路上，对于那些乐观的人来说，沿途的坎坷挫折都不能阻挡其前进的步伐，纵使前方惊涛骇浪肯定也要用尽全力搏它一搏，不管结果如何；对于那些悲观的人来说，路上的磕磕绊绊却都成了他叫苦不迭的理由和借口，即便摆在面前的只是一粒小石子，仅仅是一条小溪，他也会觉得困难重重，认为追求的过程极其辛苦，导致容易放弃。

不同的心境造就了不同的人生观和价值观，还体现在面对结果的态度上。乐观的人认为有付出就会有收获，这种收获无论大小，大到成为国家总统，小到学会骑自行车，这些努力过后获得的成果都会让他们感到欣喜和满足，从而更有动力去征服人生中的下一座高峰；而那些悲观的人呢?总认为小的收获不算收获，小的成功也不算作成功，却一直在苦苦追求，他们不懂得积少成多的道理，也不明白成功的真正意义，像这种好高骛远的人，可能在其一生中都无法体会到获得成功的快乐。也就是说在一个悲观者的眼里，在追求的过程中即使他们收获了很多，他依然觉得自己是一无所有。

然而，为何有些人认为自己在人生的道路上苦苦寻觅却一无所有呢?

这是个值得我们思考的问题。

玛丽来到中国将近一年了，在这一年的学习生活中，她怀揣着对中国传统文化的向往和对汉语的热爱，不断地加强对于中国古代文化知识的学习，与此同时，也在不断地练习汉语发音，在这一年的不断努力中，玛丽的汉语水平有了长足的进步，而且能与周围的同学朋友轻松地进行交谈。

在我们看来，这对于一年前汉语零基础的玛丽来说，已经很成功了。只需要进行日常的学习，不断地增加自己的知识面和扩展学习广度，就可以慢慢地对汉语的发音以及语法的表达得心应手了。但是，急于求成的玛丽却不这么想，她总是在苦苦寻觅一种学习汉语速成的方法，想让自己更快地将自己喜爱的东西学进心里，并体悟它的深邃，殊不知，这些想法对玛丽而言百害而无一利。学习的掌握是一个循序渐进的过程，只有达到一定的知识储备，才能真真正正地了解汉语言文学的精髓和博大精深。

玛丽学习汉语非常努力，无论是在路上还是在家里，她都会积极练习，丝毫不肯放松，用夜以继日来形容毫不夸张。玛丽想通过参加汉语普通话的测试来检验下自己学习汉语的程度，在这个想法的驱使下，玛丽更加刻苦和认真，她比以前更加努力，希望能获得一个满意的分数。

一个月后，普通话水平测试的结果并没有让玛丽感到欣喜和满意，反而离她给自己制定的目标相距甚远，玛丽接受不了这种心理上的差距几乎丧失自信。她十分不解自己苦苦学习，每天备战，可结果为什么还会不尽如人意呢？也就是这次考试的失利，让玛丽觉得她苦苦努力后却什么都没有得到，也让她对汉语的学习失去了信心，也没有以往那么有兴趣，使得她的汉语水平处于停滞不前的状态了。

追寻成功的路上是要时刻讲究方法的，真正的智者不需要苦苦追求，而是乐在其中。如果玛丽少一点苦苦地追求，多一些快乐地努力，结果是否会不一样呢?

很多时候，努力了也不一定会让自己得到满意的结果，但是，至少努力了就该问心无愧。回望自己拼搏的历程，你会更多地发现，路上的风景可能会比结果重要得多，因为这些珍贵的经验和实践的意义只有自己体会得到，这才是人生真正的财富。

不要再做那些苦苦寻觅而又一无所有的人了，敞开心扉，乐观面对，你便会发现你的生命中有更美好的东西存在着，只顾苦苦追求的你却并没有发现。

你辛勤地种下种子，就一定要收获娇艳的花儿，你觉得那可能吗?如若收获的是绿树又何尝不是一种幸福呢?所以，换一种心态，就会获得别样的幸福!

第十七章

快乐就是用不完美的心去做完美的事

每个人都是矛盾的统一体，是各种积极与消极的特质彼此调和的结果，无论少了哪一方面都称不上完整。承认和接纳不完美的自己，意味着平等对待自己的每一项特质，既不刻意彰显，也不刻意压抑，做一个真实的自己。用不完美的心，在缺憾的人生中追求完美。

1. 不苛求不强求，一切随缘

不可求不强求，一切随缘，这是我们恬淡生活的态度！哈佛大学教授保罗·普林斯顿曾经说过："我们不是上帝，因此没有资格获得所有人的喜欢。我们也不是超人，能够将那些缺点一一改观。正因为我们都是凡人，所以只能选择自己喜欢的道路走下去，让自己过得美好，也许这便是对所有人最好的回应。"

缘来了，缘散了，留下一些美好也留下一些遗憾，在记忆的天空里像一朵淡淡的云，在时光的河流里抹一丝若有若无的痕迹。我们每一个人都要做一个相信缘分的人，缘来时坦然地接受，缘去时也不强留，于是我们便在这份顺其自然的心境里寻到了一份难得的淡然和恬静。因为我们清楚地知道万事皆随缘而来，又因缘而去，正所谓不要苛求和挽留。人生在世，万事随缘；缘来，不狂喜；缘去，不悲泣。

其实，生命中有很多无法解释的东西，因为无法解释，也就充满了无限玄机，给人以无限的遐思。世间的事仿佛早已安排好了一样，你在生命的驿站遇见哪些人，碰见哪些事，像命运早已设计好了的情节似的，仿佛冥冥中早已有定数。

伊五十多年前生于清水镇，出生不久便承嗣给叔父，后随父母移居到丰原。伊是一个聪明安静的孩子，从小喜欢一个人静静地沉思：人从哪里来？死了又将到何处去？在这生死之间的茫茫几十载，人又是为了什么而活着？

在伊十六岁时，他的妈妈罹患心脏病，病情十分严重，需要手术。然而，在医学尚不发达的当时，动手术是非常危险的。伊从小就十分孝顺，小小年纪便每天向观世音菩萨祷告，祈祷菩萨可以帮助自己的母亲顺利渡过难关，战胜病魔。也许是他太过虔诚，菩萨被感动，伊的母亲术后恢复正常，病奇迹般地好了起来。伊对菩萨心存感激，便开始更加虔诚地信奉，开始戒荤吃素。年龄尚小的他，对于佛法并没有深悟，只是出于一片纯洁的孝心。

不幸的是，十年后的一天，伊的父亲突患脑出血撒手人寰，如晴天霹雳一般，这令当时年轻的伊难以接受和理解，他一度难过不能自已。这时他渐渐地发现，人的生死真的不是个人能把握和确定的，生命脆弱，缘很无常啊！

此时的他已经对于佛法有了深一层的领悟，他也想皈依佛门，去寻找生命的答案，去探看一切无常的谜底！三十岁那年，春夏之交，伊经过寺庙旁的稻田，便加入了大家的劳作中，与大家畅谈人生和理想。看到稻子在风中自由摇曳，禅师们讲着因缘的故事给他听，此时他觉得世界就在自己的心里，一切天机了然于胸间。天色已晚，到分别的时候，一位上了年纪的禅师问道："伊，要不要随我们一起走？"伊对禅师的问题毫不惊讶，淡然地答道："好，现在就走！"另一位禅师又问道："没有什么可担忧的了吗？""没有了担忧，一切已看淡。"伊看了看远方，从容地答道。

出发到了车站，禅师问道："往哪里走？向北还是向南？""哪里的车先来就往哪里走，一切随缘吧！"伊安详地说，"车的方向便决定了自己以后的路，一路的追寻自会有个美好的答案。"伊好比一株蒲公英，随风散落于大地，留下了自己的身影。

伊在生命中选择了佛门，选择了一切随缘，他随缘的选择也会让他的人生充满着意想不到的缘。缘就是这么奇妙，该来时不请自来，等到缘尽时便也会自己消失，不苛求不强求，随缘才是好选择。

现实生活中，如若你做到不苛求不强求，一切随缘，那么，你会收获别样的美好！世间的一切情缘在聚散中谱写几多悲欢几多愁，离离合合本是生命中按捺不住地跳动的音符，又何必泪湿衣襟。在分别的时候，又何必苦苦强求？正如生命中的每一个故事，是你的就是你的，不是你的终归不属于你的。

2. 学会接受生活中的不完美

这个世界从来都充满遗憾，很多时候，完美的事物大多是人们主观想象出来的。德国著名诗人歌德曾说："十全十美是上天的尺度，而要达到十全十美的这种愿望，则是人类的尺度。"

从一定程度上来说，追求完美是有上进心的表现，但过犹不及，如果因此而患上完美主义强迫症就不明智了。一般说来，完美主义者的个性都十分好强，如果长期无法达到完美的期望，很可能会造成精神上的巨大压力，从而引发各种心理疾病。他们渴望自己的生活是完美无缺的，所以无法接受生活中的小瑕疵，哪怕是一点儿小小的不如意。

完美主义者最常见的表现是：烦躁、极端、死板，他们在不知不觉中被坏情绪绑架，整天都因鸡毛蒜皮的小事而烦恼，哪怕是衣服上的纽扣丢了一颗也会令他们感到烦躁，很久前犯的小错也无法忘记，总觉着这是不可原谅的过失……实际上，这些忧虑毫无意义。

其实，磕磕绊绊、起起伏伏才是生活，只有学会接受自身的缺点，淡然看待生活中的各种不完美，才能摆脱坏情绪，从而拥有积极的生活态度。

“如果已经活过的那段人生，只是个草稿，还有一次誊写的机会，该有多好！”无数人奢望能有一次重新来过的机会。

有一个年轻人名叫伊凡，他请求上帝让自己体验一下有机会“誊写”的人生。看到伊凡执着的样子，上帝决定让他在寻找伴侣这件事上体验一下。

伊凡遇到了一位漂亮的姑娘，对方也倾心于他，于是，伊凡高兴地与这个姑娘结成了夫妻。然而，婚后的日子并不如想象的那般美好，伊凡发现姑娘虽然很漂亮，但是不会说话，做事也笨手笨脚，两个人始终无法好好沟通。因此，伊凡便利用上帝给的权利把这段婚姻作为草稿抹掉了。

伊凡的第二个妻子不仅漂亮，还聪明能干，满足了伊凡对完美婚姻的想象。可是没多久，伊凡发现这个女人脾气很坏，个性极强，原有的聪明成了讽刺伊凡的本钱，能干成了捉弄伊凡的手段。两个人在一起，伊凡不是丈夫，倒像是她的牛马、器具。最后，伊凡无法忍受这种折磨，祈求上帝再给他一次机会，上帝微笑着答应了。

伊凡的第三个妻子不但具备了前两任妻子的优点，还有好脾气。婚后，两人非常恩爱，日子过得很幸福。可是半年后，妻子突然患上重病，卧床不起，原有的美貌很快不见了，一副憔悴的样子。

维纳斯虽然断臂了，但是却成了举世闻名的艺术作品。有艺术家尝试着复原她的双臂，但是从来没有成功过。真正完美的事物是不存在的，过于苛求就是和现实过不去，给自己找麻烦。

每个人都有完美的幻想，所不同的是，有的人认识到完美是根本不存在的，而有的人则成为完美幻想的奴隶，并被其绑架。实际上，我们会成为怎样的人，完全取决于自己的内心，如果执意在不完美的现实中追求完美，那无异于缘木求鱼，自寻烦恼。

不完美正是生活的精彩之处，因为不尽如人意所以才会孜孜以求，力图做到更好；因为不完美，所以才有了完整与残缺的对比，从而更加珍惜生活中的美好。世界上没有绝对的好与坏，过度的苛求只能带来消极的情绪，正确面对完美才是明智的生活态度。

3. 请原谅那些善于嫉妒的人

嫉妒是由于别人胜过自己而产生的嫉恨心理。亚里士多德曾说："嫉妒者之所以痛苦，是因为折磨他的不仅仅是自己的失败和挫折，还有别人的成功。"

不可否认，嫉妒是人的一种天性，你之所以被嫉妒是因为你比别人更加优秀。从另一个方面考虑，这也是别人对你的一种肯定。所以，我们应该以一种包容的心态原谅那些善妒的人，让他们的嫉妒成为你成功的催化剂。

赵国大将廉颇在战场上立下汗马功劳，军功赫赫。食客蔺相如毛遂自荐出使秦国，为赵王拿回了和氏璧，得到重用，被封为“上卿”，职位高于廉颇。廉颇对此非常嫉恨，对别人说：“我廉颇战无不胜，攻无不克，为赵国立下汗马功劳，而蔺相如却凭借小小的功劳爬到我的头上去了。下次如果碰见他，我一定给他点儿颜色瞧瞧。”

这些话传到了蔺相如的耳里，他便请病假不上朝，免得跟廉颇遇上。有一次蔺相如出行，远远地看见廉颇骑着高头大马而来，他赶紧叫车夫掉转车头往回走，车夫气不过地问：“先生怎就如此害怕那个廉颇呢？”

蔺相如回答：“你觉得廉将军和秦王比起来谁更可怕？”车夫答道：“当然是秦王。”蔺相如说：“我连秦王都不怕，难道害怕廉将军不成？我只是怕我们两个闹不合会削弱赵国的力量，让秦国有机可乘。”

后来，这些话传到了廉颇的耳里，他羞愧难当。于是，廉颇到蔺相如门前负荆请罪，两人化干戈为玉帛，他们的故事也传为一段佳话。

这个故事告诉我们，以一颗宽容的心去对待那些嫉妒你的人，会收到意想不到的效果。人生是一条很长的路，沿途会有不同的风景，有美丽的也有杂乱的，但只要我们有一颗宽容的心，处处都是美景。

谅解永远比嫉恨更轻松，就好似你给我一个微笑我一定会还你一个微笑，你要是给我一拳我一定会还你一拳一样，这两种情况带给人的感觉是完全不同的。

拥有一颗宽容的心。嫉妒是人的天性之一，这是一个无法改变的事实。我们所能做的就是以宽容的心去接纳对方，这样才不会伤害彼此。

站在对方的角度看待问题。从对方的角度思考嫉妒产生的原因，体会他们的感受，或许更能理解他们的心情，更能谅解对方。就是因为每个人看问题的角度不一样，所以彼此间才容易产生隔阂，站在对方的角度思考问题，更容易找到融洽的相处之道。

试着去接近对方。人与人之间只有互相了解才会发现彼此的优缺点，试着去接近对方，并建立深厚的友谊，让彼此之间的友谊融解掉那些因为嫉妒而产生的毒瘤。

请原谅那些善于嫉妒的人，以包容的态度去对待那些曾经嫉妒过你的人，给彼此一个台阶，或许以后你们会成为好朋友。

4. 与人交往多一分理解与宽容

英国思想家欧文曾说："宽容精神是一切事物中最伟大的。"人与人相处，如果没有理解、宽容，总是处于猜忌和苛责中，终究会害人害己。从现在开始，用宽广的胸怀理解和宽容每一件事，你会发现，你的生活会更加幸福。

患有高血压的人，往往是情绪易失控的人。对此，医生会提出忠告：一定要控制好自己的情绪，不要生气。为什么？因为生气会导致情绪失控，进而使血压升高。人生气时心跳加速，失去理智，会做出错误的判断，给生活和工作带来各种麻烦。

在人际交往中宽以待人，以善心善念对待他人，自然容易保持良好的心境，与他人建立紧密的合作关系。

一天，一位基督教徒在路上被一个迎面而来的大汉撞倒，眼镜被撞飞，摔得粉碎，身上也多处擦伤。

基督教徒摇摇晃晃地站起来，而那位大汉不仅毫无愧疚之情，还大喊："走路不长眼睛啊！"基督教徒欲言又止，想到自己是基督教徒，就理应学会宽容，以宽恕之心对待他人，帮助别人摆脱苦难。

大汉看到基督教徒以微笑来回报自己的无理霸道，惊讶地问："错明明在我，为什么你不生气呢？"基督教徒说："我为什么要生气呢？生气能解决问题吗？就算我对你破口大骂，我的眼镜也还是摔碎了，身上的伤也不会立刻消失，反而违背了我内心的信仰和虔诚，这又有什么必要呢？”

基督教徒看了看大汉，接着说：“我信仰基督，基督教的旨意就是带人脱离苦海，你我今天的相遇应该是在告诫我——脱离痛苦需要对万物保持一颗仁爱的心，宽容对待一切，让心灵纯净。所以我不生气，反而感谢你。”

这就是宽容的力量，因为心生宽容，挽救了自己也放过了他人。宽以待人的魅力，就在于可以达到“一笑泯恩仇”的效果，可以用自己的宽容善待万物，巧妙地化解人际交往中的摩擦与不快。

要尝试着体会海阔天空带来的怡然自得，而不是困扰在愤恨与气恼的枷锁中。也许做到真正的宽容与理解没有那么容易，但只要你能凡事多站在别人的立场上考虑，时间长了，自然会更宽容待人。

多一分理解与宽容，少一分暴躁与气恼，人生将会更加幸福与美好。与人为善，宽以待人，你才能在大千世界中自在洒脱，赢得更多伙伴与理解。

第十八章

对生活的期待，让我们把生活折腾成自己想要的样子

人类是万物灵长，是宇宙精华。每个人不论美丑贫富，都蕴藏着成就最好自我的巨大潜力。一辈子能“折腾”的时间差不多，再不折腾就老了。其实，一直陪着你的是那个了不起的自己。岁月不可回头，真正拼过就是活过。只有够勇敢，才能带给自己前行的勇气。

1. 假如生命还有三天，该怎么度过

人非但无权选择生，而且必须思考为何而活？每个人都在寻找真正的自我，但活出自我的标准究竟是什么？拥有梦寐以求的财富？拥有功名权势？拥有自己想要的生活？究竟什么是最正确的答案，没有人能说清楚。

在寻找真我的路上，努力活在当下是最重要的。珍惜你拥有的一切，努力做好眼前的每件事，积极创造生命的价值，才不枉此生。

海伦·凯勒从来到世间的那一刻开始，就饱尝苦难。19 个月的时候，

突如其来的猩红热令她高烧不断，最终失明、失聪，变成了一个残缺的人。无法听到外界的声音，自然不能获取正确、有效的信息，海伦·凯勒不能与他人交流和玩耍，变得脾气暴躁。未来等待她的似乎是不可预知的麻烦，以及无尽的痛苦。

7岁那年，安妮·莎莉文老师来到海伦·凯勒身边，此后两个人朝夕相伴了半个世纪。在担任家庭教师的第一天，安妮·莎莉文老师送给海伦一个玩具娃娃，并在海伦的小手上缓慢地反复拼写“d—o—l—l”（玩具娃娃）这个单词。随后，这个历经磨难的孩子开始了解世间万物的名字。

在以后的日子里，海伦跟随安妮·莎莉文老师学习法语、德语、拉丁语、希腊语，成为教育史上的一大奇迹。到了10岁的时候，海伦开始学习说话。因为听不到外界的声音，也听不到自己发出的声音，她只能用手感受老师发声时喉咙、嘴唇的动作，然后进行无数次模仿。最终，海伦学会了说话，还在世界各地进行巡回演讲，轰动一时。

通过坚持不懈地努力和学习，海伦阅读了大量书籍，并积极从事游泳、骑马、划船等活动，并爱上了表演艺术。在丰富多彩的生活中，她感受到了生命的美妙。在《假如给我三天光明》这本自传中，海伦写下了这样一段文字：“请你认真思考一下，假如只有三天的光明，你将如何看世界？三天以后，太阳不会在你眼前升起，你会将目光投放在何处？”

萧伯纳说：“人生有两大悲剧，一是没有得到你心爱的东西，另一是得到了你心爱的东西。”人们都佩服他可以如此轻松地戏谑人生的两大可悲境遇。其实，这两句话深入浅出地剥离出了欲望在寻找真我道路上的定义。两大悲剧产生的根源就是占有，所以才产生占有欲未得到满足的痛苦，以及占有欲被满足后的无聊。

显然，人特别容易在两种痛苦中原地打转，在两种悲剧的转换当中失去真我，无法把握好当下的每一刻。那么，如何才能找到真我，过好眼前的日子呢?

其实，获得真我的方式有很多。对一匹脱缰的野马来说，只要能够无拘无束地自由驰骋，它就算是找到真我了。对人来说却没有这么简单，人不得不背负多重的社会责任，不得不抵抗诸多诱惑，不得不面对铺天盖地的舆论。所以，活出真性情的最好办法就是把时代标准放到一边。

不用世俗标准定义自己的人生，不刻意追求别人心中的所谓成功，并能把立足点转移到自我价值的创造上，以审美的眼光看待人生，那么萧伯纳所说的两大悲剧将变成两大快乐：你可以尽情地寻求、创造没有得到的东西，也可以纵情地品味、体验渴望已久的东西。这时候，你充分掌握了主动权，并在两种快乐的实现中找到了真正的自我。

世界上没有一幅画是不被人评论的，没有一个人是不被人议论的。不用顾及外界的意见，把握好当下的每一天，做真实的自己，内心就会安然、自在。

2. 完全没必要担心别人怎么看你

每个人都希望得到认可，希望在别人眼里举足轻重，有一定的分量和地位。为此，我们奋发图强、努力拼搏，一心想搞出点名堂，并时时刻刻维护、完善自己的形象。

也许是因为太在意别人的看法，以致对别人无意的冷落或忽视你都会耿耿于怀，别人一个不经意的眼神或一句随随便便的玩笑也会令你大伤脑筋，甚至拿自己和他人比较来比较去，最终陷在狭隘的自我里顾影自怜……

很多时候，我们对自己的认识更多地来自他人的评价和反馈。而这种过度担心别人看法的心理，很容易增加你的思想负担。

张勇应聘到一家外企人力资源部做助理。上班第二天他就遇到了一个尴尬的问题。急忙冲进电梯的他，发现后面站着昨天刚见过的副总。他犹豫是否要回过头打招呼，但是又怕说错话，最终没有主动打招呼。

当天，当他去给副总的秘书送报告时，副总碰巧从办公室里出来，也像没看见他一样径直走了过去。张勇开始后悔在电梯里的行为，心想副总一定对自己有意见。

没过多久，上司带着张勇一起陪副总和客户吃饭。张勇很想借这个机会与副总搞好关系。但在整个过程中，他内心挣扎了无数次，还是什么也没做。

在去酒店的途中，上司开始和副总说公司的事情。张勇心想，公司的事情，自己身为新人不好插嘴，就始终保持沉默。中间副总咳嗽了一阵，他很想趁机问问："副总你生病了吗？"但是这个念头刚一出，头脑中就立刻蹦出"谄媚"这个词。倒是上司开口了："最近身体不好？"副总叹了口气说："老毛病，一到秋天就犯。"

下了车，张勇发现副总手上提着一个大电脑包，臂弯上还有一件风衣，心想："我是不是应该帮他拿包和风衣呢？"可转念又一想，"如果我那样做了，不就成了跟班？"就在他犹豫的时候，副总已经走进了酒店。

吃饭的时候，张勇更是不知所措。他觉得自己地位低，在这种场合应该保持沉默。与对方公司交流、谈业务这种事情，他似乎也不知道从何说起。后来，主管要他表现一下，去给对方的副总敬杯酒。他立刻说自己不会喝酒，敬果汁可以吗？轻松的气氛一下子消失了……人最大的弱点，就是太看重别人的看法和反应，顾虑重重，最终将挺简单的事情搞砸。不难看出，张勇的犹豫不决，就是太在乎他人的看法导致的。

一个人如果想主宰自己的人生，就必须坚定信念，完全没必要担心别人怎么看你。到底该如何坚定自己的信念，不被别人的看法左右呢？

第一，要为自己确立目标。

确立目标既是走向成功的需要，也是激发潜力、最大限度地创造价值的需要。有了目标，你就会想方设法为达到目标而努力，就不会为目标以外的事情烦恼。

第二，发挥自己的优势 。

人是在战胜自卑、建立自信的过程中成长的。天之生人，各有所长，各有所短。我们在做事的时候，一定要注意发挥自己的优势，避免自己的劣势。

第三，学会自我激励。

在树立信念的过程中，一定要学会自我激励。 要有勇气面对别人的讥讽和嘲笑。德国人力资源开发专家斯普林格在其著作《激励的神话》中写道："强烈的自我激励是成功的先决条件。"所以，学会自我激励，就具有了主宰自我的意志与能力。

你永远无法满足所有人对你的期望，因此专心做好分内之事最重要。许多时候，完全没必要担心别人怎么看你，将事情做到位自然会赢得尊敬和赞赏。

3. 激发潜能：唤醒沉睡的巨人

丘吉尔的夫人出于对丈夫身体健康的考虑，经常劝丘吉尔少喝酒。对此，丘吉尔不以为然，他说道："夫人，我请你一定要记住，不是酒精摧毁我的健康，而是我战胜了酒精！"丘吉尔还说："我喝酒很多，睡觉很少，并且一根接一根地抽雪茄，这就是我为什么 200% 的健康。"

确实，酒精没有让丘吉尔迷失心智，没有毁掉丘吉尔的健康。丘吉尔当上了英国首相，活到了九十岁，为什么？还是那三个字——自信力！丘吉尔驾驭了酒精，而不是酒精驾驭了丘吉尔！这就是自信的力量，自信能激发人们的潜能。因此，相信自己，才能唤醒沉睡的巨人，不管做任何事，遇到任何挫折，都有坚持下去并努力克服它的勇气。

基恩博士，美国著名的心理医生，有一次他在哈佛演讲时讲了一个故事。

基恩作为一名黑人，从小备受歧视。一天基恩在窗户边看到外面阳光下几名白人小孩正在玩耍。基恩非常想出去和他们一起玩耍，但是内心的自卑感阻止了他，他没有勇气走出去，只能偷偷躲在窗户后面。终于，基恩被孩子们兴奋的游戏征服，他跑了出去，走到白人孩子们的面前，小声地说道："我能和你们一起玩吗？"

"当然可以。"孩子们愉快地拉着基恩奔跑。那一刻，基恩快乐极了。

很多时候，相信自己并不是一件多么困难的事情，我们之所以一直不能相信自己，是因为我们自身在设限，从你的内心深处主观地认为"自己不行"，而非你真的不行。所以，无论何时何地，都要给自己尝试的机会，用事实来证明自己到底应不应该相信自己。

从哈佛大学经济管理学院毕业的梅丹理，没有像其他同学那样到大公司或自己的家族企业工作，而是选择了去一家不太知名的小广告公司任职。朋友们都不理解，而他是这么回答的："是金子总会发光的，不管做什么事情，都要对自己有信心，因为没有什么是不可能的，只要你能付诸行动。"

梅丹理刚到小广告公司工作时，老板就告诉他："业务员就是把想象付诸行动，把幻想变成现实的职业。"他带着老板的这份"指引"，列出了一份客户名单，其中不乏根本就不太愿意跟他们公司合作的客户，但是梅丹理还是一个一个地拜访了他们。

仅仅两天，梅丹理便和 18 个"不可能"的客户中的 3 个谈成了生意。到了第一个月月末时，18 个客户中只有 1 个还没有同意跟他合作。梅丹理不放弃，以后的每天早晨都会去找那位客户谈生意，尽管每次那位客户的回答都是“NO”，他还是坚持。30 天，足足被拒绝了 30 次，当梅丹理第 31 次去拜访那位客户时，客户问他：“年轻人，你已经浪费了一个月的时间来请求我买你的广告了，我想知道你为何要坚持这样做？”

梅丹理毫不犹豫地回答说：“这段时间并不算浪费，因为我是在学习，一直在训练自己在逆境中始终保持坚持的精神，您就是我的老师。”梅丹理凭借着坚忍不拔的精神和实际行动打动了客户，终于将最后一个“不可能”的客户拿下了。

其实，没有谁天生就具有超常的智慧，没有谁生下来就注定会成为伟人或是超级富翁。他们之所以能够获得我们不可企及的成就，是因为他们具有超级的自信力和果敢的行动力，正是这两点点燃了他们的正能量，使他们发出耀眼的火焰，吸引世人的目光。既然自信有如此大的力量，那么，如何增强自信心呢？

（1）正视别人，也正视自己

不敢正视别人，意味着自卑，正视别人，才能向别人传递“我是一个值得信赖的人”的信息，同时还能增强自己的自信力。正视自己的优点和缺点，优点要注意保持，缺点要及时改正，才能让自己不断进步。

（2）敢于当众发言

在众人面前大胆地发表自己的看法，对的会赢得掌声，错的会得到纠正，一次又一次，你的自信力会不断增长。

（3）积极参加集体活动，不断磨炼自己

自信力不足的人多参加各种集体活动，才能更好地克服怯懦、优柔寡断等不良性格，培养果断性、自制性和坚韧性。

漫长的人生道路不可能都是平坦的，总会有荆棘和泥泞，要想到达成功的彼岸，必须有自信作为支撑点！因为自信能带给人不一样的人生，不一样的将来！人只有用自信来武装自己，才能具有无穷的力量，克服万难，摘取成功的桂冠。

4. 你看到的是你想看到的世界

每个人眼中的世界不同，每个人所看到的世界受到教育、家庭及人生阅历等各方面因素的影响。不同状态时看到的世界也不尽相同，你吃饱和饥饿时眼中的世界是不相同的，而你看到的世界只是你想看到的世界。

虽说眼见为实、有图有真相，意思是说人们潜意识地认为眼睛看到的事物一定是客观真实的，但是哈佛大学的心理学教授研究发现，人类所看到的世界并非能够完全还原所看到的外界事物，其伴随着人类的智商、情商等功能而发生一系列变化。

1947 年，美国著名的心理学家、教育学家杰罗姆·布鲁纳和著名的作曲家本尼·古德曼曾经做过一个关于硬币的实验，对象为 5 个来自富人家庭和 5 个来自穷人家庭的儿童。他们让这些儿童通过调整一个光圈的大小来估计硬币的大小。布鲁纳这样做就是为了观察不同孩子们看到的世界是否相同。

实验结果表明，这些孩子们都或多或少地高估了硬币的大小，而且随着硬币面值的增加，高估的程度也相应增加。更令布鲁纳和古德曼感到惊奇的是，穷人家的孩子对硬币的高估程度要远远高于富人家的孩子。对此，布鲁纳起初认为，硬币对于穷人家的孩子来说价值更大，因此直径也更大；而对于富人家的孩子来说，硬币的价值相对较小，所以其对直径的判断也相对更小。

后来一些研究者认为，穷人的孩子和富人的孩子之所以看到的硬币大小不同主要是由于穷人接触硬币的机会较少，不太熟悉硬币大小。这种实验方法虽然得到质疑，但是后来经过专家学者们的一系列验证，证明我们所看到的世界受到各种认知动机的影响，这一过程虽然看似简单，但是却受到了诸多因素的影响。

科学家们还发现，给你一副同样不带明显情绪的面孔，我们会特别注意那些有着不道德行为的面孔，而恰巧却忽视了其他的面孔。他们告诉我们，我们的视觉受其他因素的影响，而我们看到的世界只是我们所想看到的世界，眼见不一定为实。

长期以来，我们的内心世界已经被我们自己、他人以及周围世界的假设、形象和故事而深深地影响，我们的感官受到习惯思维、定式思维及所学到知识的局限。

成人和孩子所看到的世界也不相同。我们有时错误地认为孩子一定是做了什么。而当我们静下心来，听孩子告诉我们事情的前因后果后才懊悔自己错怪了孩子。家长常常按照自己过去的经验和记忆，来形容我们看到的部分世界，这种东西在家长的脑子里已经形成了一种思维惯性，构建了一个只属于自己的世界。他们却没有发现，自己和孩子所看到的世界是不一样的，他们所看到的世界只是他们自己想看到的世界而已。

当然，这并不是说，我们不能眼见为实。鉴于我们所看到的世界受到各种因素的影响，这就需要我们打破思维定式和习惯，打破偏见，沉着冷静地去看待周围的人和事物。另外，多读书，多出去走走，看看他人是怎样思考的，多与他人交流谈心是非常有必要的。在生活和工作中，我们要尽量减少因为我们的思维定式而造成的看东西的偏见。只有在这样的情况下，我们才可以随心待人，平心待事。

每一个希望自己看到的世界不受其他因素影响的人，都需要重新审视自己的内心世界，而这一点重点在于打破思维模式，创造属于我们自己的智慧和世界。只有这样，才能避免在生活和工作中因此而造成的偏差，影响我们的前程。

第十九章

会舍才能得：什么都想要的人，往往什么都得不到

拿得起，放得下，是一种真正的人生智慧，也是一种豁达的人生态度。人生一世，要学会选择，懂得放下。聪明地舍弃，是对人生回收站的及时清理，丢掉那些毫无价值和意义的包袱，放弃拖累我们的牵绊，我们才可以轻松地走以后的路，人生的旅程才会更加愉快，我们也才能看到沿途更多美好的风景。

1. 放不下是一切烦恼的根源

人们对得不到的东西过分追求和渴望，并为此苦苦坚持，自然会心生烦恼，变得焦虑不堪。从根本上说，烦恼和焦虑是自我施压的结果。

放弃那些不切实际的想法，过好当下的日子，学会面对现实，就能减少大部分焦虑。有的人为了某个目标奋斗一生、拼搏一生，但是当他得到自己想要的一切，却发现不过如此，而生命已经因为早年的奋斗消

耗一空，失去了太多其他美好的东西。

在平常的日子里，一个人须懂得自问，明白自己真正需要的是什么，哪些是可以放弃的。能够舍弃某些不必要的东西，减轻心头的贪念，就能消除内心的焦灼感，让身心变轻松。

有一个小男孩把手插进一个上窄下宽的花瓶中，结果拔不出来了。看着孩子痛苦的表情，妈妈用尽了各种方法，试图把卡住的手拿出来，但是没有成功。稍微一用力，孩子就会疼得哇哇大哭。

看来只有把花瓶打碎，才能帮助孩子脱困。这个花瓶是一件收藏很久、价值连城的古董，如果打碎了确实可惜。不过为了救孩子，妈妈顾不上这些了。

花瓶打碎了，孩子的手平安无事了。妈妈让孩子把手伸出来，看看有没有受伤。奇怪的是，男孩始终紧握着拳头，好像无法张开。难道是被困得太久了，手抽筋了？妈妈再次变得惊慌失措。

男孩的手终于张开了，里面是一枚硬币。原来，男孩为了拿花瓶中的硬币，才卡住了手；而他始终无法从花瓶中拔出手来，是因为拿着硬币不肯放手。

故事虽然很简单，却耐人寻味。在我们身边，许多人像这个孩子一样，放不下到手的职位、待遇，整天四处奔走，最后荒废了事业。有的人放不下金钱的诱惑，费尽心思一夜暴富，却常常作茧自缚。内心的焦灼、惶恐、烦恼，都与“放不下”有莫大关系。

人生有很多美好的事情，也有很多美丽的风景，不要为了虚名放弃这些实实在在的东西。否则，焦虑、忧愁总会伴随左右，让人生徒增烦恼。人生就像一艘远行的船，总是在不停地装货、卸货，船上不能有太多的负重，否则船就会在途中沉没。那些不属于自己的东西，该放下时就放下，不要被其拖累。

放下那些没用的东西，你才能专注于自己真正热爱的人和事，远离焦虑的状态。在学会放下之后，烦恼和焦虑自然会消失，取而代之的是难得的轻松与惬意。

对每个人来说，学会放下是一种了不起的能力，也是获得幸福人生必须具备的智慧。在关键时刻能够拿得起、放得下，善于忘记那些不愉快的事情，你就离幸福不远了。

2. 学会给自己松绑，才能走得更远

患得患失、过分计较将会成为我们人生的绑绳和枷锁，使自己停滞不前或无所突破，永远局限在一个狭小的空间范围内，逃脱不得。

现实生活中，遇事无论成败都心存芥蒂，对于我们自己有什么好处呢？不能解开这些心结，心灵就会被禁锢窒息。

负担太重时，不妨让自己休息一下，轻松一下，养精蓄锐，然后蓄势待发。苦恼的人最终会明白：自己的苦恼不过是来自没必要的“坚守”。一个被捆绑的身体，将失去行动的自由；一颗被捆绑的心灵，将无法与他人进行必要的交流，生活也将因此变得灰暗。所以，我们应学会给自己松绑，让灵魂喘口气。

这个世界上原本没有任何可以让你痛苦的人或事，没有人可以夺走你的轻松、自由和快乐，因为没有任何一个人可以缚得住你。能缚住你的只能是你自己，是自己的成见、傲慢、狭隘、嫉妒、执着。这些念头像一根根的绳子把你牢牢地与烦恼绑在了一起。能给自己松绑的人，也只能是自己。

格兰妮出生在新西兰的一个村落里，在那个封闭的地域，人们习惯于用一套世俗的标准审人度事，凡是逸出常态的就被认为是不正常而遭到排斥。与村民的强悍相比，格兰妮从小就表现得极端怯懦，甚至宁可

被嘲笑也不敢轻易出门。在村民的眼里，她是一个不合群的、被打入了另册的人，因此，几乎没有人和她交往。

格兰妮的父母在一个魔术团工作，为了一家人的生活整天在外奔波，早上骑着自行车出门，每天很晚才能回来。听到脚踏车声，其他两个孩子总是一拥而上，围着父母纠缠。格兰妮却照样躲在屋里一声不吭，久而久之，父亲也觉察到了什么，经常在她面前叹气，担心她日后的遭遇，或者直接就说这个孩子怎么会这么不正常。

当格兰妮第一次听到别人说她不正常时，她觉得非常刺耳，可听得多了，她也渐渐相信自己不正常了。在学校里，同学之间很容易就成为可以聊天的朋友，而她也很想加入进去，可就是不知道怎么开口。上学之前，家人是很少和她交谈的，有的只是叹气或批评，到了学校这个更为陌生的环境，她更是沉默少语。她想，她真的是不正常了。

后来，经过医生的诊断，说她患有严重的自闭症、忧郁症。这时，惶恐、烦恼、忧郁一齐向她袭来，她那脆弱的神经终于崩溃了，不得不住进长期疗养院，默默地接受各种奇奇怪怪的治疗。

村民们早已淡忘了她，父母也似乎忘记了她的存在，最初他们还千里迢迢来探望她，后来半年也不来一次了。茫然、无聊时，她就找来医院里一些过期的杂志阅读，渐渐地她发现自己喜欢上了这些杂志，就索性投稿了。没想到那些在家里、在学校、在医院里总是被视为不知所云的文字，竟然在一流的文学杂志上刊出了。

医院的医生有些尴尬，开始竖起耳朵听她谈话，生怕错过了任何的暗喻或句子；她的父母觉得意外——自己家里原来还有这样一个女儿；往日的村民也不可置信地发现：难道现在这个出了名的作家，就是当年那个古怪的小女孩？最终，格兰妮突破了世俗的偏见和自我的捆绑，成了新西兰有名的作家。

是谁把你推进了烦恼的沼泽里？是谁把你引向了痛苦的深渊中？如果你继续愤愤地思索是谁伤害了自己，又苦苦地寻觅谁能拯救自己，那你就真的会被烦恼捆得结结实实。能让自己痛苦不堪的人不是别人，正是你自己。

一栋房子要是没有窗户，温暖的太阳就无法照进来，新鲜的空气也不能飘进来。人也是一样，若是心灵被捆绑，就会感到沉闷，只有释放自己，心才能够通达，心灵的视觉才更清晰。

生活无论如何磨人，如何将你压缩在一个四方的小盒子里，但思维的空间是不受限制的，心灵的视野没有藩篱，无比宽广。在不如意的时候，学会将心灵从意识的牢笼里解放出来，心灵的空间就会越来越大，任你驰骋，来去自如，而你成功的力量正是来自这个空间。

人之所以会产生苦恼，会惹来烦恼，是由于对欲望的执着，而把自己封闭在自己所想象的虚幻世界里头，使自己变得不自在、无能为力，从而产生苦闷、失落、反叛的情绪。如果你能一直坚持做到诚实、不自欺，你必然能够靠自己的力量摆脱所有虚妄的苦恼和困惑。

当你真心地选择了放下，你便获得了一定的自由，因为你已经放下了压在自己身上的包袱，无论是面对朋友还是仇人，你都能够报以甜美的微笑。

相信自己，没有人能够缚得住你，没有烦恼能缚得住你。若心如潭水，好言冷语都不会在潭水上留下痕迹，得与失、成与败都不会在潭水上激起涟漪，那还有什么烦恼能缚得住你？还有什么样的伤害能痛得到你？

“不要被他人的论断束缚了自己前进的步伐。追随你的热情，追随你的心灵，它们将带你到想要去的地方。”如果，你被缚住了，要牢记，能为自己松绑的只有自己。

3. 甩开一切束缚，学过减法人生

有位哲人说："人生如车，其载重量有限，超负荷运行会促使人生走向其反面。"人的生命有限，而欲望无限。如此看来，学会辩证看待人生、看待得失是十分必要的。有时，我们也应用减法减去人生过重的负担，否则，负担太重，人生不堪重负，结果往往事与愿违。

有一本书已经给过我们这样的启示，那就是海伦·凯勒的自传《假如给我三天光明》，人们都会选择做最关键、最紧要的几件事，甚至只有一件事。那些平时在脑海中盘旋的杂念瞬间被理智抽走，只有那最重要的事情能牵动你的情绪。其实，在我们做出选择的时候就知道了人生的真谛。实质就是要抛开束缚，过减法人生。学会做减法，就是在延展人生的厚度和高度。

现实中的人们一直在做加法，对权力的渴望，对金钱的贪念，对成功的迫切使得人们对自己设置了很多的标准和束缚。人生就像一个容器，里面添加了各种庞杂的事物，有的必不可少，但更多的是多余的东西，为了人们的虚荣和所谓的"面子"，将自己折磨得痛苦不堪，在真正的成功到来时却无处安放了，人们又悔过不已。

舍得舍得，有舍才有得，大家都善于做加法而不会做减法，在多数情况下人们面对放弃都犹豫不决，难以抉择。人要学会成长就必须当舍则舍，当断则断，脱掉厚重的行囊轻装上阵。要丢掉束缚，过减法人生，以一种平和的心态面对生活，不以物喜，不以己悲，不做世间功名利禄的奴隶，也不为凡尘中的各种烦恼所左右，提升自己人生的高度。过减法人生才能在当今社会的各种物欲和令人眼花缭乱的世相百态面前神凝气静，执着追求自己的人生目标。过减法人生才能抛开一切名缰利锁的束缚，使人性回归到本真状态，从而获得心灵的自由。

有这样一位年轻人，硕士学位，在单位里也算得上中高等了，但在事业上总是闷闷不乐，他听说某个寺庙里有位德高望重的老禅师，便去拜访，请求指点迷津。

这天，老禅师的徒弟接待了这位年轻人，但这位小徒弟态度一点也不好，使他很生气，嘴里嘀咕着：“你不就是一个小徒弟，也没什么本事，我一个硕士出身，你算老几，凭什么这样对我。”

后来，这位年轻人见到老禅师后，便滔滔不绝地高谈阔论，然后提出了自己在事业上的疑惑：“我一直在努力，从没放松过对业务的钻研啊！而且我的学历比其他同事们都高啊，他们连个学位也没有。最后他们反而得到老总的重用了，而我却不行，这一直困扰着我，大师，您说这是为什么呢？”

这时，老禅师十分恭敬地接待了他，一言不发，并为他沏茶，这使年轻人更为不解。后来在倒水时，明明杯子已经满了，可老禅师似乎还没有停止倒水的意思，还是不停地倒。

“大师，大师，杯子已经满了！”年轻人慌忙提醒老禅师，而老禅师好像没听见他说话，还在一个劲儿地往杯子里倒着开水。

年轻人坐不住了，不解地问：“大师，为什么杯子已经满了，还要往里倒？难道您没看见茶水溢出了杯子，并顺着桌子流淌开来，然后滴下桌沿吗？”

老禅师笑了笑，依然沉默，还是没有停止手里的动作，年轻人愁眉深锁地不知所措。他一把端起那杯茶，“哗”地泼向了门外。并大声地向老禅师说：“大师，已经满了，还倒什么呢？”

接着老禅师又把茶水倒满，并说：“是啊，既然已满了，干吗还倒呢？一个有很多想法的人就如同满了水的杯子，怎么有空间来接受别人的想法呢？”

这位年轻人似有所悟，便把杯子里的茶一口喝干。

老禅师还是把年轻人的茶杯满上，问：“你会喝茶吗？”

年轻人回答说：“不会。”

“那就先学喝茶吧。”老禅师笑了笑。

年轻人对老禅师的话非常不解，问道：“大师，喝茶还要学吗？”

老禅师指着这个杯子：“你的心就像这个杯子一样，已经被装得满满当当的了，不把茶喝掉，不把杯子倒空，如何装得下别的东西呢？”于是，年轻人终于明白此中禅意，恍然大悟，惊喜地叫了声：“我明白了！”然后向老禅师深深鞠了一躬，转身而返。

如果他想得到更多的学问，必须有一个好心态，首先把自己想象成“一个空着的杯子”，而不是骄傲自满。只有这样才能用“减法”去迎接人生新的可能，并不断装下新的欢喜与感动。

给人生做减法，给阳光的记忆留点空间。想想什么才是人生的终极意义，对于你来说什么才是你魂牵梦绕的理想之地。过减法人生能让我们悟透人生的内涵，正确看待人生的进退取舍。凡事都要有一个度，过分痴迷，过分追求往往会适得其反。懂得运用人生的减法，张弛有度才是大智慧。

4. 以“喜舍”的心帮助别人

现实生活中，我们会有这样的体验，就是当我们做了一件好事得到别人赞扬的时候，或者因为自己一个小小的帮助使他人摆脱困境的时候，我们的心情就会特别好，感觉就连阳光都比平常温柔灿烂，而且这种美好的感觉会伴随我们很长的一段时间。之所以会这样是因为我们通过舍去我们的时间、金钱、精力，有效地帮助了他人，并得到了他人的感谢和敬佩，最重要的是，自己的内心得到了升华，让自己更有自信去面对生活中的一切。这种助人的方式就是以“喜舍”之心来帮助别人。当然，一个人的能力有大有小，能够舍弃的东西也有多有少，但是，助人之心不分高低贵贱，只要有了乐于助人的品德，就是一个高尚的人。

常怀一颗“喜舍”的心去帮助别人，就能拥有永远快乐的心态。那么，什么样的心才是“喜舍”之心呢？“喜”就是每天没有烦恼忧愁，珍惜自己所拥有的，不为得不到的费尽心机，努力提高自己的学识和修养。所谓“舍”就是能够把自己所拥有的一切，不论是财富，还是知识，都能奉献出来，与人分享。修炼一颗“喜舍”之心，才能使自己成为一个高尚的、尊贵的、快乐的人。

一位颇具世界影响力的科学家曾经这样说过：“一个人只有能够无私地奉献社会，才能找到生命存在的意义，只要我们勇于付出，甘于奉献，不计较任何得失，就一定能够实现我们的人生价值。”这说的就是以“喜舍”的心去帮助别人，放下小我，融入大我，慈悲喜舍，处处有我。人类天性中的美好，使凡尘的生活因此而闪耀出灵性的光辉。

在英国的北海渔场附近，有一个依靠出海捕鱼为生的村子，这里有一个叫汉斯的少年，向全世界展示了什么叫以“喜舍”之心帮助别人。捕鱼是一件非常危险的工作，船员们一出海就要十多天，而且海上经常出现狂风暴雨，可以说，船员们一直生活在死亡线上。

有一天晚上，海面上狂风大作，电闪雷鸣，一艘正在航行的渔船被吹得左右摇摆，眼看船就要翻了，船上的船员及时发出了求救信号。很巧的是，渔村的救援队的队长因为担心有船会出事故，早在岸边等着看有没有需要救援的船只。当救援队的队长一听到求救信号，便立即组织村里未出海的村民进行救援，他们不敢耽搁，乘上救援艇就冲进了翻滚的海浪里。

剩下的村民多是一些妇女儿童，他们只有默默祈祷着，希望所有人都能平安回来。时间过得很慢，终于，有人看到了救援艇的影子，其他人赶紧向远方寻找着，接着都跟着欢呼起来。等救援艇勉强地上了岸，队长气喘吁吁地说：“我们的救援艇太小了，没办法装下所有的船员，只好留下一个人在那里，现在我们必须换人再去救援一次。”本以为脱离了灾难，却不想还有一人处在危难中，而且几乎所有的青壮年都去过一次了，他们已经没有体力再回到海上战斗了，第二次的救援队伍出现了难题。

经过队长细心周密的安排，救援队伍还是缺少一个人。这时，年仅16岁的汉斯走到队长的面前，请求加入救援队伍。然而，他的母亲一把抓住他，坚决地说：“不行，你不能去！你知不知道海上有多危险，你的爸爸就是在海难中丧生的，难道你忘了吗？还有你的哥哥，已经出海一个多月了，都没见他回来，说不定早已经……我现在就只有你了，你千万不能去啊！”看着母亲由坚决的态度变成了乞求，汉斯心头一酸，尽管难过，他还是安慰母亲，说：“如果我现在不去，船上的那个人就一定会死，岂不是又有一个家庭变成我们这样，他的家人得有多难过？这是作为渔民的我的责任，我必须去！”于是，汉斯紧紧拥抱了一下妈妈，便头也不回地登上了救援艇，和其他队员一起湮没在无边的黑暗之中。

狂风越来越大，暴雨也在肆虐着，时间已经过去了一个多小时了，可还是没见救生艇回来，汉斯的母亲坐在地上不住地哭泣着。忽然，救援艇冲破层层迷雾，出现在人们的视野中，汉斯平安地回来了！汉斯的母亲立刻站起来朝着大海的方向望去，只见汉斯站在船头向她挥舞着手臂，喊道：“是我的哥哥，船上的人是我的哥哥，我们把他救出来了！”

这是一个真实感人的故事，汉斯正是用他那“喜舍”的心去无私地帮助别人，奉献社会，才得到了意想不到的回报，从汉斯身上也可以看出闪烁着的人性之光。再想想我们现实生活中的一些人，自私自利，只想着得到，却从不想付出，更别说要他们舍弃一些东西去帮助与自己毫不相干的人了。这样的人只能每天生活在斤斤计较之中，根本不会感觉到助人带来的心情愉快。

“喜舍”，并不是真正的失去，而是在失去中寻找，在失去中体验，在失去中懂得，又在失去中得到，这是一件真正的人生乐事。漫漫人生路，免不了会自觉或不自觉地丢掉一些东西，我们要懂得“喜舍”，不能因为舍弃而无限期地伤感，那样你将体会不到助人的快乐，更体会不到舍得的幸福。舍得，有舍才有得，只要我们无条件地付出，无私地去帮助别人，不要在回报上斤斤计较，说不定会有你意想不到的惊喜在等着你。因为，还有一句话是，有付出终有回报。

第二十章

遇见未知的自己，生活再苦也要笑一笑

世上没人可以陪你走一辈子，请你一定学会和自己好好相处。生活就是这样，你以笑容对它，它还你阳光一片；你对它哭泣，它将阴雨连连。悲观者钻进自己做的苦难之屋中不愿出来，人生将悲叹连连；乐观者在最绝望的时候也能展露笑颜，人生欢乐不断。

1. 做一个善于欣赏生活的人

罗兰曾经说道：“美是到处都有的，对于我们的眼睛，不是缺少美，而是缺少发现。”是的，生活中从来不缺少美，缺少的是善于发现美。懂得欣赏生活，你会发现美无处不在。

美国心理学家丝雷说：“称赞对鼓励人类灵魂而言，就像阳光一样。没有它，我们就无法成长开花。”人与人之间需要欣赏，欣赏是情感的黏合剂，是生活的兴奋剂，是工作的催化剂，是一种催人奋进的力量。

人们为了生活奋斗，但也不能忘记欣赏生活、品味生活，感受幸福时光。否则，一个人无论多么成功，得到多少财富，他的心灵都不会快乐，都无法感受到这个世界的美妙之处。

在美国西部的一个小镇上，一位花匠在自己家的花园中种下了许多玫瑰花。转眼到了玫瑰花盛开的季节，花匠很高兴，决定把鲜花分给路人，一起分享这份喜悦。

一天，一位少妇经过花园门口。花匠递上几枝玫瑰花，少妇很乐意接受，但似乎她的丈夫不喜欢花匠的行为。

第二天，一位商人经过花园门口。花匠照例送过去几枝玫瑰花，商人高兴地说："玫瑰花真漂亮！"同时，把钱递给花匠。花匠不要钱，但是商人不同意，最后把钱硬塞到了花匠手中。

第三天，一个背着书包上学的小男孩经过花园。花匠递过去几枝玫瑰花，小男孩把花放到鼻子旁边闻了一下，笑着说："真香啊！谢谢！"然后，他高兴地上学去了。

看到这里，花匠高兴极了。他终于找到了一个能够真正与自己分享快乐的人。想到这里，花匠的脸上露出了欣慰的笑容。

是呀，如果我们在平常的生活中能够多一分优雅，懂得去欣赏生活，忘掉工作中的身份、责任，一个空明澄澈的世界就会出现在眼前。

人生在世肯定会面对痛苦和欢乐，但是不管怎样都要欣赏生活带给我们的一切。用简单的方法保持一种平和的心境，生活中的苦恼就容易摆脱。幸福的人懂得在苦恼中发现希望，在欣赏生活中走向成功，所以他们更快乐。

用欣赏的眼光去看待世间万事万物，你就会发现生活中多了一份美好，少了一份苦恼。欣赏是一种爱，欣赏生活就是爱生活。爱生活中的一切，欣赏生活中的一切，这会带给我们无限的激情。只要懂得欣赏，你就能用欣赏成就美好生活，做人生的赢家。

善于欣赏的人会得到更多人的帮助。懂得欣赏、感恩遇到的每个人，也许日后他们会成为人生路上的贵人。欣赏是发现美的途径，但学会欣赏也是一种美。幸福的人用欣赏的心态对待生活，多一些感恩，少一些功利。做一个有品位的人，你会发现生活会带来意想不到的惊喜。

心理学家詹姆斯说："人性中最本质的东西是被人欣赏，我们都愿意被人赞扬或被人欣赏。试着欣赏生活中的每一个人、每一件事，你就会得到开心的一天。学会欣赏并且坚持下去，自然容易收获亲情、友情、爱情，从而拥有快乐人生。"

古希腊有一句谚语："每滴水里都藏着一个太阳。"世人往往厚此薄彼，戴着有色眼镜看问题。其实，身边每个人都有其优点，都有值得他人学习的长处。懂得发现别人的长处是一种智慧。做不到这一点，就会产生别人什么都不如自己的想法，久而久之必然陷入以自我为中心的怪圈，难有大的作为。

2. 乐观是一种人生情怀

很多人不知道生活该是什么样子，其实心情的颜色就是生活的底色。如果总是不开心、焦躁烦闷，那么你的生活就是灰色的；如果积极乐观、豁达开朗，那么你的世界就是五彩斑斓的。

面对生活中的烦恼，只需多一份乐观情怀，就能转换心境，告别焦虑和紧张。快乐是一种心情，其滋味如人饮水，各有不同。人生在世，每个人都有自己的苦乐、悲喜。能让别人快乐的东西不一定能带给你快乐，但是只要保持乐观心态，就能永远看到希望。

有一次，美国总统罗斯福家中失窃，被偷了许多东西。一位朋友闻讯后，急忙写信进行安慰，劝他不必太在意。

随后，罗斯福写了一封回信："亲爱的朋友，谢谢你的安慰和关怀，我现在很平安。在此，感谢上帝：第一，贼偷了我的东西，而没有伤害我的身体；第二，贼只偷了一部分东西，而不是全部；第三，最值得庆幸的是，做贼的是他，而不是我。”

对任何一个人来说，失窃绝对是一件不幸的事，而罗斯福却找出了三条感恩的理由，展示了乐观的情怀。

人生在世，最重要的是有一份好心情。内心晴朗，你就会感觉每天的阳光都是灿烂的，不再去埋怨一切不公，可以和朋友分享快乐，也愿意为他人分担忧愁。获得人生快乐和幸福的方法之一就是无论身在何处，都能保持乐观的心境。

今天，人们比以往任何时候更加关注幸福、快乐等积极主观体验，因为这不仅是人生的意义所在，也会反过来影响自身行为。生活赋予我们许多财富，有磨难，也有幸福和快乐。有的人过得不开心，大多是缺乏快乐的心境，常常为了一些琐事愤愤不平。

爱因斯坦未出名之前，经常穿着破旧的大衣在街上走来走去。有一天，他遇到一位朋友，对方笑着说：“你每天穿成这样？不担心被别人笑话吗？”

“在这里也没有人认识我，我担心什么呢？”爱因斯坦轻松地回答。

成名后，爱因斯坦依旧没有丢掉原来那件破旧的大衣，并且每天穿着在大街上走来走去。再次遇到那位友人，对方疑惑不解：“如今你已经这么出名了，还穿着这件破大衣，是不是有些不太符合你的身份？”

“现在大家都认识我了，我穿成什么样子仍旧是爱因斯坦，不会变成另外一个人。所以，一件破旧大衣穿在身上又有什么妨碍呢？”爱因斯坦笑着回答。

身为世界上最有名气的科学家，爱因斯坦并不讲究穿衣打扮。面对友人的嘲笑，他依旧以乐观的心态应对，这种淡泊名利的气度离不开乐观的心境。对爱因斯坦来说，穿什么并不重要，重要的是以豁达的心态面对生活，无惧他人的唠叨和指责。

人生中的许多事不必放在心上，命运的捉弄也不必计较，你只需按照自己的逻辑去生活，过好当下每一天。在轻松乐观的情怀面前，任何愁苦和坎坷都不再是烦恼，而是成为生活的背景和陪衬，映托出你伟岸的身影。

3. 让你所爱的人拥有笑容

生活中，有许多人抱怨："我不想回家，看他（她）那张臭脸。"这里的他（她）大多指的是自己的妻子或丈夫。

没错，工作一天回到家里，谁都想面对一张笑脸，而不是一张愁眉苦脸。可是，"愁眉苦脸"不是一个人造成的；所以，与其逃避、抱怨，不如从一些小事做起，让你所爱的人能够拥有笑容，也让你在回家的时候，能够得到他（她）的"笑脸相迎"。

夫妻之间，很多时候都是因为一些小事发生口角，然后大吵大闹，不得安宁。其实当面对与对方意见不同的情况时，与其义正词严地批评指正，不如巧用沟通策略，让对方在接受你观点的同时，还能哈哈一笑。

一天，在看报纸的妻子将报纸递给了丈夫，并指着其中的一篇文章说道："你看看这篇文章，这吸烟的害处有多大。专家都说了，每吸一支烟就要减少六分钟的生命！我看你还是快戒了吧。"

丈夫扫了几眼报纸，然后不屑一顾道："你这才是害我呢。"

妻子不解，坐到丈夫跟前，问道："你这话什么意思？我劝你戒烟是爱惜你的身体，怎么说是害你呢？"

丈夫振振有词道："你看，这报纸后面还说了，不吸烟的人会吸入空气中的烟雾，这比吸烟的人危害还大。你想，我们公司的人可都吸烟，我要是戒了，岂不是要整天吸他们的二手烟，危害更大？我是怕死才吸烟的。”

妻子笑了笑，说道：“既然这样的话，那么，以后你买烟的时候，可别忘了给我和女儿各带一包。”

妻子面对丈夫的歪理，不仅不怒，反而变换方法增添沟通的乐趣。想那丈夫听到妻子这样说，一定会被妻子这机智的表达逗得笑出声，心服口服地接受建议。

让你爱的人拥有笑容，除了要用幽默代替直白的指责，还要抓住每一个可以让你们发笑的机会，一同感受爱的力量。

一天，一个丈夫与妻子闲谈时说道：“我很喜欢打高尔夫球，以前常常去打，但后来由于你的不允许，我就再也没有去过了。”

妻子不无好笑地打趣道：“我不允许你就不去了？你可以反抗我啊！看你这么胆小，你是个男人，不是只老鼠。”

丈夫闻言十分坚定地开口道：“我是个男人。”他停顿一下，继续说，“但关键就在于你害怕的是老鼠。”

丈夫是个十分有风度的男人，面对妻子的打趣，他没有反唇相讥，反而是巧妙地表明自己的立场，又给足了妻子面子，让夫妻二人在笑声中，感受到甜蜜的爱意。

笑，是一种快乐和幸福的外在表现。若你想让你的爱人时刻感受到幸福，那么，你不妨用温情点缀你们的生活。当你所爱的人不开心时，耐心逗他（她）一乐；当你们的生活遇到困难，用幽默缓解彼此的压力……

你若爱他（她），就让他（她）拥有一张迷人的笑脸吧！不把差劲的脾气给了最亲近的人，自然能够交好运，得到上天的眷顾。

4. 经历磨难是一种痛苦，也是一种幸福

人的一生，既会有在大众羡慕的目光中意气风发的时候，也会有在

荆棘丛生的荒野中艰难跋涉的时候，人生的酸甜苦辣都是好滋味，磨难也有它应有的价值。磨难是一个大熔炉，能锻造出锋利的宝刀。磨难为你开凿山道，为你架起一条条索道，帮你跨越险滩沟壑。在磨难中有如逆水行舟，当划过一段最艰难的河道之后，我们常能感到一种放舟千里、直奔大海的气势与喜悦。

当我们与人生的磨难狭路相逢的时候，我们总是沮丧消沉，因为劳而无获而心情沉重，因为希望破灭而一蹶不振，因为多次的失败而信心全失，开始怀疑自己的能力，怀疑原来的所有。以至于当幸福来临，停留在我们唾手可得之处时，我们已经没有了当初对幸福的渴望。当你为错过月亮而哭泣时，你将错过满天璀璨的星光。如果你一直因人生的磨难而消沉，那么你终将会因为得不到幸福而苦不堪言。

经历磨难是一种痛苦，也是一种幸福，关键要看你的态度。当你正视命运交给你的课题，鼓足勇气和信念挑战困难，决定用坦荡豁达的心胸面对失败时，磨难就是人生的一笔财富。双目失明的人更懂得光明的难得；饥肠辘辘的人更能尝出米饭的甘甜；满头华发的人更明白青春的珍贵；被磨难的苦水浸泡过的人，更能懂得平平淡淡才是真，更容易感受到幸福的无处不在。

磨难不仅教会我们懂得珍惜，还能让我们以更强大的姿态面对生活。人生的每一次磨难，都是一次机会，都是让自己变得强大的机会。朋友的离开，教会你如何与人相处；婚姻的失败，让你更加明白自己对家庭应该负有的责任；一次实验的失败，让你懂得一种方法或者材料是不对的，多次实验的失败，磨炼了你的耐性和意志。

莉莎原本有一个丰富多彩的童年，她的梦想是成为一名优秀的钢琴演奏家。四岁的时候，妈妈就开始请家庭教师教她弹钢琴。六岁的时候，她已经能够弹出许多完整的曲子。老师夸奖她在音乐上有非常高的天赋，大家都对她抱有很大的期望。

七岁那年,她和爸爸一起去爬山,快到山顶时他们离开了原来的山道,决定进行一次小探险，结果一不小心一块松动的大石头压住了莉莎的双臂。当救援人员赶到时，只能对她进行截肢手术。没有了双臂的莉莎变得沉默寡言，为了避免她伤心，爸爸妈妈把原来和音乐有关的所有东西都放进了储物室。

身体慢慢恢复的莉莎开始在医生和爸妈的帮助下练习用双脚生活。对音乐天生的爱好让莉莎从储物室翻出了钢琴和琴谱，她开始学习用脚弹奏钢琴。爸爸妈妈被女儿的执着感动了，从其他州重金请来了残疾人演奏家，来做莉莎的家庭教师。

和莉莎接触了一段时间后，家庭教师欣慰地告诉莉莎的爸爸妈妈："断臂的磨难让她过早地体会到了人生的变幻莫测，她能够在音乐里把这种体会表现出来，这是同龄人都做不到的。再加上她在音乐方面本来就有很高的天赋，她肯定能成为一名出色的钢琴家。"

不出家庭教师所料，十八岁的莉莎就已经开始了她的全国巡演。世界重量级的音乐家，在提到莉莎时总是说："她的音乐总是富有浓厚的感情。愤怒时，让人咬牙切齿；悲痛时，让人泪流满面；高兴时，让人欢欣鼓舞。一个十八岁的小姑娘怎么能够对生活、对音乐有这么深沉的感触？这恐怕是她断臂的经历给她的财富。"

有时候，失去就是一种得到。在磨难中，你失去多少就能得到多少。你失去了一双光滑细腻的手，得到的是沙砾荆棘都难以让它受到丝毫伤害的老茧；你失去了一次成功的机会，得到的是丰富的经验和战胜苦难的毅力；你失去了安逸的生活，得到的是改变现状的雄心壮志。

舒适安逸的生活会让人丧失斗志，艰难困苦能磨炼人的品性。"生于忧患，死于安乐"，在恶劣环境下生长的草木根深蒂固，温室中的花朵总面临着被连根拔起的危险。对于人生无处不在的磨难，切莫害怕躲避。相反，我们甚至要迎难而上。因为，磨难是人生的一笔财富，它深埋在痛苦烦恼中，需要我们用诚心去挖掘。

5. 尽人事再听天命

溪流自高山欢歌而来，顺应地势流淌，顺应通道而游，最终归于大海；幼苗从土壤中探出脑袋，顺应崖壁走势，在崖缝中生长，最终高可参天；候鸟顺应四时更替，南迁北飞，才能繁衍后代，人只有一切顺应自然，才能成全自己。倘若溪流苛责水道坎坷，横冲直撞，最后只能禁锢成一潭死水，或者在烈日下干涸；倘若幼苗固执地要顶破崖壁，最终只能在泥土中腐烂；倘若候鸟不理会天时，冬日的饥寒交迫会带来灭顶之灾；倘若人奢望太多，生活将没有成功与幸福。

刘心武说："在色彩斑斓的现代生活中，我们一定要记住一个真理，那就是活得简单才能获得心灵的自由。"若想让生活变得简单，让心灵得到自由，我们必须清除不着边际的奢望梦想和不切实际的苛求恶念。生命本就有它自己的脉搏，生活也有它原有的规律。当你为一件事付出努力时，它的结果就已经注定。所以，对生活的奢望太多，生活就会充满失落。对人生的苛求太多，人生就会充满痛苦。

人生不是比赛，幸福和成功也不需要起跑线和终点线。真正的成功和幸福是能接纳自己和肯定自己。如果你对自己要求过高，办事一味地求大、求快，最终只能是适得其反，两手空空。试想一个人连他自己都不愿意接纳和肯定，那他就得不到别人的接纳和肯定，他的生活将毫无乐趣可言。

人生的形式是各种各样的，一千个家庭有一千种幸福模样。所以，成功和幸福没有标准答案。如果你适合平淡安逸的生活，那就不要去追求虚无缥缈的荣华富贵；如果你没有做大事的准备和能力，那么辉煌的业绩对你来说就不是成功。把自己能做的、该做的做好了，就不要强求它的结果是什么样子。把一切交给上帝吧！上帝永远都是公平的，他会给出与你的努力相称的结果。

马上就要考试了，同学们都在紧张地复习功课。班里成绩最好的两个人玛丽和杰克的表现引起了莱恩斯老师的注意。

玛丽似乎异常紧张，每天都在拼命地学习。早上第一个来到教室，吃饭的时候也要带着课本，每天放学最后一个离开教室。玛丽的情绪不太稳定，她总是莫名其妙地大怒，或者大哭。莱恩斯老师认为他该和玛丽谈一谈。这天下课，他放学经过教室时发现玛丽还在教室学习，就走了进去："玛丽，你最近学习上是不是遇到了什么困惑？"

玛丽说："莱恩斯先生，我每天都努力地复习功课，却总是担心自己考不好。我非常希望得很高的分数，这样我的爸爸就会从国外回来看我。他去国外工作已经一年没有回家了。"

莱恩斯老师安慰她说："你平时的成绩一直不错，相信这一次肯定也能考出理想的分数的。"

考试对于杰克似乎没有什么影响，他依旧很轻松。莱恩斯老师从教室出来之后碰到了从操场打球回来的杰克，他就叫住了杰克："杰克，马上就要考试了，你不紧张吗？"

杰克无所谓地说："平时的努力就注定了最终的结果，我紧张又有什么用呢？"

这时候，莱恩斯老师的心里已经有了结果。杰克在这次考试中会超过玛丽。结果不出所料，玛丽在考场上紧张到双手发抖，脑子一片空白，成绩非常不理想。

莱恩斯老师找到失落的玛丽，对她说："我们做一件事情，往往在我们做它的时候结果就已经注定了。如果我们太强求，就会失去更多。”

面对生活中的困难，当做好充分的应对措施之后，就要顺其自然。功夫到处，铁杵成针；失意挫折，只能说明不足仍然存在。事情的发展变化都有其规律，成功失败皆有其因果，千百要求、百般苛责，只能是徒增烦恼。如果对生活没有太多奢望，对人生不做过分苛求，失去了不会痛心，得到了便是莫大的惊喜。

人在天地之间是极为渺小的存在，一个人对于过去的后悔和对于未来的担忧都是毫无意义的。凡事克尽人力，安听天命，才是每个人应该保持的豁达人生态度。当我们降低对生活的要求，珍视每一分努力后的收获，一朵花、一片叶子、一声初生婴儿的啼哭，都是上帝对我们莫大的恩赐。

第二十一章

改变你的坏脾气：把脾气拿出来那是本能，把脾气收回去才叫本事

人一辈子犯的错，80%是因为生气。请记住，每个人都有脾气，脾气有好有坏，然而坏脾气对我们的恶劣影响是不言而喻的，如果任其发展，不仅会影响身心健康，还会影响自己的前途。只要脾气好，凡事都会好。如果连自己的情绪都控制不了，乱发脾气，即便给你整个世界，你也早晚会毁掉一切。

1. 赶走心里那只愤怒的小鸟

发现事情与自己的期望不相符，人就会产生愤怒这种负面情绪，用来表达内心的不满。表面看来，愤怒令人畏惧，实际上却暴露了当事人无助的一面。

人在愤怒时会失去理智，伤害周围的朋友和家人，所以它是一种非常恶劣的负面情绪。通常，人们在愤怒的支配下不再顾忌他人的感受和想法，会做出一些过激的行为。由此，家庭不再和睦，朋友不再亲近，

发怒的人也会身体健康受损。

既然愤怒的危害如此巨大，为什么不去尝试着控制和引导它呢？

小时候，艾伦性格乖戾，经常无缘无故地发脾气。有时候，他会把所有能看到的东西摔得粉碎，才能平息心头的怒火。对此，父亲没有强硬地训诫，而是送给他一大包钉子——每次生气时在后院的栅栏上钉一颗钉子。

艾伦照做了，直到连续钉下 12 颗钉子之后，他才慢慢学会控制愤怒情绪。随后，栅栏上新出现的钉子越来越少。艾伦发现，控制自己的情绪比在高高的栅栏上钉钉子容易多了。直到有一天，栅栏上再也没有出现新的钉子。

父亲带着艾伦来到栅栏边，把钉子一颗一颗地取下来："孩子，你不再乱发脾气了，这样很好。你看，栅栏上的钉子留下了很多小孔，它们会一直存在下去，就像你发脾气时说的气话，像钉子一样扎进别人的心里。虽然后来你道歉，但是这些伤痕仍然无法抹平，长久都不能愈合。"

很多人可以从艾伦的身上找到自己的影子。显然，口头的伤害并不比肉体的伤害低，恶语相向等于在别人心口插了一刀，一时的愤怒会给他人带来无法抹去的伤害，也给彼此的关系造成不可弥补的遗憾。

当你怒火升起来，快要无法自控的时候，一定尝试着转换心境，别因为情绪失控吃大亏。不照顾他人的感受，自然也无法得到他人的关照。对每个人来说，学会控制愤怒情绪永远是一门必修课。

第一，尽量把发怒的时间向后推迟。如果你发现自己经常在一些特定的场合下发怒，那么下次遇到相似场合的时候先提醒自己多忍一会儿。如果这次忍耐了十秒钟，那么下一次想要发怒的时候忍耐二十秒，久而久之你就能控制愤怒情绪，甚至不会因为外界干扰而大动肝火。

第二，把发怒的缘由记下来。在笔记本上记录每次发怒的原因、时间、地点，并且认真地记录每一次发怒的细节。坚持一段时间之后，就会发现如果经常发怒，记录这些事情就变得非常麻烦，从而主动减少发怒的次数。

如果你想提高情商、管理好情绪，那就不要让怒火上身。损害他人的物质利益，或许还可以弥补；因为发怒伤害别人的自尊和感情，那无异于自绝后路。关键时刻赶走心里那只愤怒的小鸟，你就是识大体、顾大局、成大事的人。

发怒之前想一想会有什么后果，懂得掌控自己的情绪，是智者所为。理智地约束愤怒并不是压迫愤怒，而是一种有效的情绪引导，目的是让自己重回积极的情绪状态。

2. 脾气来了，福气就没了

生活中难免遇到一些不如意的事，这太正常了。比如，开心地抱着玫瑰花约会，结果因为堵车晚点了；穿着新买的鞋乘坐公交车，结果被人踩了一脚，等等。这些小事通常会让人无奈，进而不由自主地感到愤怒。

然而，生气不能帮你解决任何问题，反而会因这种不良情绪阻碍与他人的沟通，甚至诱发高血压等疾病。

也许有人说，这是危言耸听，愤怒不过是一种正常的情绪反应。还有人认为，将怒火发泄出来好过一个人独自生闷气。在事与愿违的情况下，愤怒不仅影响身心平和，还会破坏你的运气。

如何处理愤怒这种不良情绪？最有效的方法就是战胜它，用理解和幽默的方式实现心理平衡。遇事冷静理智，不轻易动怒的人大多是命运的掌控者。因为，他们时刻掌控着情绪，按正确的节奏做事。

周末正在家里休息，忽然被邻居聒噪的音响吵醒。想一想，你是怎么应对的呢？许多人直接敲开邻居的门，厉声训斥对方，一番争论之后双方形同陌路，从此老死不相往来。这种做法显然算不上高明，下面一起看看科恩是怎么做的吧！

科恩的邻居是一位音乐爱好者，每天下班回家，都要播放各种乐曲，并调到最大音量，直到午夜才肯罢休。这严重影响了科恩的生活。

这一天，科恩敲开了邻居的门，微笑着说："请您把录音机借给我一个晚上好吗？"

邻居听了非常开心，说道："太棒了，你喜欢哪种乐曲？"

科恩微笑着摇摇头："不，我只想安安静静地睡一晚。"

邻居听完立刻明白了科恩的用意，然后表示今后一定多加注意。

面对吵闹的邻居，科恩既不吵闹，也没选择忍受，而是理智、风趣地向对方表明立场。一句简单幽默的话，瞬间让邻居明白了事情的原委，甚至为此内疚，这可比你冲动地到对方家里大吵大闹更有效。

遇到棘手的问题，或者不方便直接说出内心的想法，不必立即歇斯底里，愤怒会让你冲昏了头脑，把事情搞砸。借用幽默等沟通技巧，你能轻松化解眼前复杂的矛盾。

愤怒会让人失去理性思考的能力，做出错误决定，导致局面失控。一个人脾气太大，经常变得怒不可遏，显然无法建立融洽的人际关系，自然不会得到他人的帮助，那么福气也就悄然溜走了。

当一个人进入陌生的环境，尤其需要谦卑为人处世，不可因为生气变得情绪化。而在与人相处的时候，时刻懂得控制自己的情绪，不因某些小事动怒，自然容易收获好人缘，得到外界更多理解和帮助。

在我们身边，许多人郁郁不得志，说到底是脾气太差的缘故。他们不善于掌控情绪，经常为小事抓狂，所以生活毫无条理，工作也没有起色。因为在情绪自控方面存在缺陷，所以他们做人做事都不得章法，这样的人自然无法得到机遇的垂青。

在即将动怒前，及时地转移自己的注意力，找一件轻松而有意义的事做一做、想一想，可以逐渐让脾气变小，从而能够与人和睦相处。

3. 虚荣是坏脾气的罪恶之花

这是一个物欲狂飙的时代，功名利禄，从来没有像今天这样赤裸裸过，利欲熏心也从来没有像今天这样有恃无恐。为了自己的虚荣而追名逐利，已经成为当今世俗定位的成功的标志。人，总是欲壑难填。

现在的人，尤其是年轻人，他们喜欢大房子，喜欢开名车，戴名表，喜欢挥金如土，左右还时常有美女相伴。在他们看来，这才是有派头的生活。拥有一座大房子足以能证明房主的卓越能力，左右美女相伴则能证明这是个既有钱又有魅力的人。

事实是否真的如此呢？宽敞的房子比狭小的房子的确会感觉舒适，但自古以来舒适的生活必定会让人贪于享乐而忘记生活中随时出现的灾难。爱慕虚荣的人，一心只和比自己更高等的人攀比，稍有不满意的地方便会大发脾气，痛恨自己的生活没有别人舒适，于是便想方设法去满足自己的虚荣心，这也许便是当下腐败丛生的原因之一吧。

还记得莫泊桑《项链》中的那个玛蒂尔德吗？为了去参加一个舞会，玛蒂尔德向朋友借来了一条钻石项链，的确，那天晚上她成了众人瞩目的焦点，但是一夜的狂欢之后，她发现自己把那条“昂贵”的项链弄丢了，她不得不买了一条一模一样的项链还给了朋友。为了买这条项链，玛蒂尔德一家不但倾家荡产，而且还四处举债。为了偿还债务，她付出了自己最宝贵的青春年华。当她终于还清了债务的时候，她却得知自己最初借到的项链是假的，根本值不了多少钱。这样的结局是多么具有讽刺意味啊！

那是怎样虚荣的一个女人啊！她根本不懂得人的高贵岂是一条项链

能带来的！富裕的生活的确让人羡慕，很多事情是没有钱便无法做到的，但这并不是说不富裕的生活就没有乐趣可言，只要自己自立、自强，生活得坦荡，即使是贫穷一些也是幸福的。只要你自己能够看得起自己，只要你愿意为了自己的生活去努力，去拼搏，这就足够了。

张建出生在一个普通的工人家庭，因为是家里的独子，父母把所有的爱都倾注到了张建身上，家里虽然并不富裕，但一家人生活得平淡而温馨。

幸福的生活并没有持续太长，在张建八岁那年，母亲因不甘心贫穷的生活，与一个有钱的老板私奔了。此后，父亲一个人含辛茹苦地把小张建抚养长大，日子过得很是艰辛。

张建从小便十分懂事，成绩也一直名列前茅。高考时，他以全县第一的分数考入了北京某重点大学经济系。在校期间，他积极参加学校的各项勤工俭学活动，几乎没有向父亲要过一分钱。

大三那年，他认识了外校的一位女生，他们一见钟情。虽然女友并没有要求张建什么，但受母亲阴影的影响，他总是觉得女人与金钱是脱不开关系的，所以每次去见女友前，他都会向同学借来一套挺直的西装，两人出去吃饭也出手相当阔绰。

毕业后，张建找到了一份中外合资公司会计的工作。工资虽然可观，但他的虚荣心却促使他不停地想办法去发财。不久后，他学会了炒股，开始还算小打小闹，后来竟然瞒着女友四处借债投入到股市当中。一年后，他债台高筑，女友不得不将自己辛苦挣来的几万块钱为他还了债。

张建觉得让女人为自己付出是件丢人的事，他想挣更多的钱让女友过上有钱人的日子，于是便经常利用职务之便，通过做假账挪用公司一百万元巨款。案发后，公司把张建告上了法庭，张建被判处有期徒刑十年。

由于虚荣心作祟，张建的宝贵青春终将在监狱中度过。

虚荣是一种虚假的荣誉，它可能使你得到一时的满足，却会使你背上沉重的包袱，满足虚荣的东西一旦失去，你便会雷霆大发，甚至做出犯法违纪的事来。其实，不管贫穷还是富有，只要找到自己的本真，心态平和，笑看世间风起云涌，便是有意义的人生。

4. 提高抗压能力，别让坏脾气伤人又伤己

当今社会，随着工作生活节奏的加快，人们承受的压力也越来越大，人的情绪常会处于一种持续紧张状态，如果这种紧张适度，则有利于健康和进取；而如果过分紧张、忧虑，心理抗压能力不强，再加上长期心理上的疲劳，心理疲倦被压抑在内心深处，久而久之，人便会变得低沉、烦躁不安了。这种烦躁不安的情绪会像传染病一样迅速蔓延，伤人伤己。

避开压力并不能使你出类拔萃。你见过温室里的花草吗？那些花草在温室里茂盛鲜艳，可是一旦走出温室，它们就会因适应不了外界环境而迅速枯萎。花草受到过度的保护后会丧失抗压能力，没有了保护，它们的生命力就会下降，直至死亡。

哈佛大学心理学硕士泰勒·本·沙哈尔说，那些成功孩子身上所具备的特质之一就是适应力。人的适应力有强有弱，但毋庸置疑的是，一个有着较强适应力的人，更容易与命运和平共处，很少不满和抱怨。

你喜欢运动吗？据一项研究证明，运动上的一切进步都来自压力的刺激。每一位运动选手都不能惧怕、逃避压力，相反还要借助压力，达成梦寐以求的突破与自我超越。著名的压力心理学家塞勒一针见血地指出："没有压力，就等于死亡！"

你现在是否已婚？婚姻生活中夫妻俩都会面临来自对方的压力，当难以抵抗这种压力时，他们就可能爆发，变成了"火药桶"，导致感情

破裂。这时，只有不断提高自己的抗压能力，增强内心的能量，多低头，多退让，才能缓和夫妻矛盾。否则，还是伤人伤己。

所以，若想成为出类拔萃的人，我们一定要有足够强的抗压能力。因此，你必须努力扩展自己的载压量，就像为了预防出现交际危机，提前做好各种沟通计划一样，为了面对生活和工作中可能出现的挑战，你也应该准备不同的压力应对方案，而且还要把它变成像吃饭睡觉一样轻车熟路。

有一位经验丰富的老船长，一天，他的货轮卸货后在浩瀚的大海上返航，突然，海面上刮起了可怕的风暴。年轻的水手们惊慌失措，不知该如何是好，老船长则非常冷静，他命令水手们立刻打开货舱，往里面灌水。

“往船舱里灌水会使船下沉，这不是自寻死路吗？”水手们纷纷表示不理解。但看到老船长坚毅的神情，他们还是照做了。

随着货舱里的水位越升越高，船也一寸一寸地往下沉，但依旧猛烈的狂风巨浪对船的威胁却在一点一点地减少，最后竟然平稳了。

看到水手们还是疑惑不解，老船长说：“百万吨的巨轮很少能被风浪打翻，被打翻的都是一些根基轻的小船。船在负重的时候，是最安全的；空船时，则是最危险的。”

空空的货船本没有多少压力，当它遇到风暴时，只有增加它的抗压性，它才能安稳渡过。货船如此，人更如此。

在某山区的著名旅游景点，有一段被当地人称为“鬼谷”的路段，路窄坡陡，两边是万丈深渊，从它上面走过去比那些玻璃栈道还要有挑战性。每当来到这里，导游们总是要让游客们挑点或者扛点什么东西。

“这么危险的地方，不拿东西已经两腿打战了，再负重前行，岂不是更危险吗？”很多游客都深表不解。

导游小姐笑着解释道：“这里以前发生过好几起事故，都是游客们在毫无压力的情况下失足掉下去的。可是当地人每天都从这条路上挑着东西来来往往，却从没有人出过事。意识到危险了，再负重前行，反而会更安全。”

遇到压力,逃避不是办法,应从自身出发,提高抗压能力,淡定地度过,而不是遇到压力就狂发脾气,对同事、对朋友、对亲人,到头来,众叛亲离,他人痛苦，你也亦然。

提高抗压能力的方法很多，适合你的才是最好的。

第一，要保证睡眠充足。充足的睡眠不但可以解除疲劳，使人产生活力，还可提高免疫力，增强机体抗病能力。缺乏睡眠，精神会疲惫不堪，哪还有精力去与压力对抗？所以，睡眠充足，是提高抗压能力的首要条件。

第二，了解压力的根源。你到底面临着什么样的压力？是工作，是家庭生活，还是人际关系？如果认识不到问题的根源所在，就不可能彻底解决问题。因此，要尝试自我了解压力的根源，必要时可以咨询专业的心理医生。

第三，培养乐观人格。调整完善自己的人格和性格，控制自己的波动情绪，以积极的心态迎接压力的到来，如对待晋升加薪应有得之不喜、失之不忧的态度，通过这些以提高自己的抗压能力。

第四，认清自己所面对的问题，寻找适当渠道的支持，也是提高抗压能力的方法。尽量寻找自己可依赖的人，如朋友、亲人，或是心理咨询、社区机构等，倾吐心声是疏解情绪压力很重要的方法之一。

第五，幽默可以化解烦恼，释放情绪，并使人不断体验愉悦心情。幽默不仅可以提高一个人的压弹能力，还可以提高一个人的创新思维。幽默是一种易于让人接受的批评方式，它可以用于解嘲，避免难堪局面。

如果你感到生活和工作压力过大，还可以有意识地多吃些橙子和多喝些橙汁，据医学专家分析，当一个人承受强大的心理压力时，身体会消耗相当于平时8倍的维生素C，维生素C不足，会使脑神经机能降低，一些负面情绪便会随之出现，而橙子正是富含维生素C的食物。

当你实在无法消化压力时，最好的方式当然还是放下。禅说："一念放下，万般自在。"放下才能得到解脱。只有该放下时就放下，你才能够腾出手来，抓住真正属于你的快乐和幸福。

第二十二章

幸福，源于和自己比较

说到底，生活本身就是一种心情。幸福并不取决于你拥有什么，你是谁，你在何处，或者你在做什么事。决定你是否幸福的关键，在于你怎么想。幸福从善待自己的心灵开始。一个人在主观上感受到幸福，那么他的人生就是快乐的。即便你一无所有，也依然能够感到快乐、感到满足，你就能不被外界的环境左右，让生活充满乐趣。

1. 人生要懂得转弯

法国有一位叫奥里昂的老人从 20 岁起就决心做一名画家，他一直用心地画着，几十年如一日，但他的画却无人问津。终于，40 年过去了，在他画了 9998 张画后，卖出了平生第一张画！

初看这个故事我们多半想到的会是坚忍不拔、矢志不渝这样的精神，但是热情过后，我们也需要考虑，这样真的好吗？四十年的绘画生涯给老人带来了什么？如果换一个方向又会怎么样呢？

“人生要一往无前”“不撞南墙不回头”“虽千万人吾往矣”。但是，当我们回过头来，仔细想想，面对如今变化飞快的世界，这些信条还合适吗？事实上，在如今这种纷繁复杂的社会坚持一成不变的观点，往往是行不通的。任何一种音乐播放设备，无论是CD还是MP3，都是有播放也有暂停，无止境的播放带来的只能是疲劳。人生也是如此，一味地前行，不考虑方向，一定会摔跟头。选择合适的时机转弯，也许就是柳暗花明。

克里斯多夫·李维是以主演美国大片《超人》而蜚声国际影坛的。然而，1995年5月，正当他在好莱坞红极一时、风光无限之时，一场飞来的横祸改变了他的人生。在一场激烈的马术比赛中，他意外坠落马下几乎是转眼之间，这位在世人心目中以“超人”和“硬汉”形象化身的他，就从此成了一个永远只能固定在轮椅上的高位截瘫者。当他从昏迷中苏醒过来，对家人说出的第一句话就是：让我早日解脱吧。

出院后，为了让他散散心，平息他肉体和精神的伤痛，家人带着他外出旅行。有一次，小车正穿行在落基山脉蜿蜒曲折的盘山公路上。克里斯多夫·李维静静地望着窗外，发现每当车子即将行驶到无路的关头，路边都会赫然出现一块写着“前方转弯”或“注意，急转弯”警示文字的交通指示牌。而拐过每一道弯之后，前方顿时又变得豁然开朗。山路弯弯，峰回路转，“前方转弯”几个大字一次次地冲击着他的眼球，也渐渐叩醒了他的心扉：原来，不是路已到了尽头，而是该转弯了。

克里斯多夫·李维恍然大悟，冲着妻子大喊一声：“我要回去，我还有路要走。”自此以后，消极思想从他心里彻底消失，他也意识到自己不仅仅只做演员，还可以做很多很多的事。于是，他以轮椅代步，当起了导演。他首次执导的影片就荣获了金球奖；他还用牙紧咬着笔，开始了艰难的写作，他的第一部书《依然是我》一问世，就进入了畅销书的排行榜，与此同时，他创立了一所瘫痪病人教育资源中心，并当选为全身瘫痪协会理事长。他还四处奔走，举办演讲会，为残障人的福利事业筹募善款，成了一个著名的社会活动家。

多年后，他回顾自己的心路历程时说："以前，我一直以为自己只能做一位演员，没想到今生我还能做导演、当作家，并成了一名慈善大使。"原来，不幸降临的时候，并不是路已到了尽头，而是在提醒你：你该转弯了。

钱钟书先生说过，我们年轻的时候总是把自己的创作冲动当作创作才能。这句话不妨放大一下：我们总是把自己的冲动当作才能，也总是把自己的执迷不悟当成执着。曾经被盲目的兴趣冲昏了头脑，并全力以赴，却在沼泽中艰难跋涉、泥足深陷。善于放弃，懂得转弯，才是聪明灵智，也最有可能抵达成功的彼岸。

人生路途中充满着机会，也充满随时改变的可能，没有一条路是注定为你准备的，尤其是人生的道路，更是风云莫测，要想一直顺畅地走下去，而不被阻挡在半路，就需要具备转弯的智慧。不要惧怕转弯会让你放弃原来的梦，也许兜兜转转之后，你会发现其实到了自己想去的地方。

所以，人生并不只是直线，适当地转弯能让我们找到新的自我，告别苦难的过去，拥抱新的明天。懂得转弯，去探寻身边的可能，才能让我们的人生更精彩。

2. 身心俱疲时放下工作独自远行

社会中的绝大多数人，都在为了自己的"欲望"拼命，为了住上更豪华的房子，为了开上更名贵的好车，为了购买各种各样的奢侈品，他们整日为了"赚更多钱"而奔波。尤其是在当今这个"竞争"激烈的时代，要想取得好业绩，要想保住自己的饭碗和工作，似乎都必须拼命工作，"工作奴隶"的形象在职场当中随处可见。

殊不知，人体不是机器，长时间的高压工作会引发一系列身心健康问题。人生就像一条橡皮筋，如果只是一味地不停拉紧，不懂得放松，那么迟早都会扯断并弹伤自己的手。俗话说“身体是革命的本钱”，所以聪明人在繁忙的工作中都懂得要适时放松。

张锋就职于某公司融资部门，为了拉到资金，平时在工作中少不了应酬喝酒，张锋30岁时可是酒场上的一把“好手”，不管是什么样的客户，只要到了酒桌上，张锋基本都能顺利拿到客户的投资，由于酒量“深不见底”且非常善于言辞，张锋在业内还赢得了一个“酒桌狐狸”的美誉。

在朋友们眼中，张锋是一个典型的“工作狂人”，晚上十点别人都准备入睡了，他在饭局上喝酒应酬；周末别人在聚会休闲时，他在出差拜访资金雄厚的投资商；别人在陪家人购物、旅游时，他正在出差的路上写工作报告……付出就有收获，张锋的辛苦付出也确实取得了丰厚的回报，仅仅工作三年，收入水平就达到了年薪三十万元，绝对是同龄人中的佼佼者。

不过最近张锋却尝到了长期繁忙工作的苦头，为了避免影响工作，张锋即便是在身体不舒服的情况下也很少请假，即便是感冒发烧也照样去陪投资商喝酒应酬。长时间饮酒以及不规律的生活作息，再加上一直忙碌很少休息，张锋的心脏出现了异常，只要情绪一激动就会心跳异常加速，出现心悸、气短等症状。

直到自己的身体发出“预警”，张锋才突然意识到为了“工作”自己都失去了什么。因为工作，放弃了与家人团聚的机遇，丢掉了与孩子互动的美好亲子时光，忘了陪伴自己的爱人与父母，还牺牲了自己的身体健康。

工作只是我们人生的一部分，除此之外，还有太多的美好等待着我们去体会、去采摘，如果你觉得身心疲惫，那么不妨放下手中的所有工作，独自一人去远行吧！每个人都有通过劳动和工作实现自我价值的需要，但在面对工作时，一定要做到“张弛有道”，切不可长时间透支精力与体力。

独自远行是一种非常好的放松方式，具体来说，主要有以下两点好处：

（1）可以远离人群

我们每天都要与各种各样的人打交道，时间一长就会不由自主地变得“麻木”，机械地与人交流，面无表情地与人对话，如果你在日常交流中常常是这样的状态，那么这表明你的“心”已经累了。这时候独自去远行，可以远离熙熙攘攘的人群，让我们重新回归自己的心灵，获得灵魂上的短暂休憩。

（2）可以转换环境

在同一个环境中待得太久，就会丧失对生活和工作的热情，而热情欠缺正是造成我们工作倦怠的一个重要原因，所以抽时间离开自己熟悉的环境，去陌生的地方远行吧！如此一来，我们对生活的热爱，对陌生事物的好奇心，对未来的期待以及对事业的积极进取心都会一一重新归来。

3. 别让“映射”操纵你的人生

一位哈佛学子愁云满面地对自己的导师说道：“老师，我最近很纠结。”

老师问道：“为什么？”

“有的人说我是天才，日后必将大有作为；而有的人却说我是名副其实的蠢材，将来不会有什么作为。老师，您说我到底是天才还是蠢材呢？”

“你认为自己是天才还是蠢材呢？”老师问道。

“我也有些迷惑了。”学生一脸的茫然。

导师语重心长地说道：“如果你自己也迷惑，那么我就更不知道你是天才还是蠢材了。不过我想告诉你，无论别人如何评价你，你就是你。如果你的发展完全依赖于别人对你的定位，没有自己的人生规划，那么你是一个傀儡，是不会取得任何成功的。”

接着哈佛教授谈起了他小时候的一件事情，至今记忆犹新。那年他上小学，考试得了第一名，老师送给他一本世界地图。教授很高兴，整日捧着地图专注地研究。这天，父亲让他帮忙拔草。他一边拔草，一边研究地图，结果不仅把草拔了，而且连同刚刚长出来的小树苗也一同拔掉了。父亲大怒，抬手打了他一巴掌，问道：“整天捧着地图研究什么？”教授委屈地说道：“我在看埃及在哪儿，等我长大了一定要去埃及。”父亲听完更加生气，说道：“什么？你还想去埃及？别做梦了，你这辈子都不可能去埃及！”

当时教授呆住了，心想：“父亲怎么会给我下这么奇怪的定论呢？难道我这一生就真的没有能力去埃及了吗？”二十年过来了，当教授第一次出国就去了埃及。很多人对此都很疑惑，问他为什么一定要选择埃及呢。教授答道：“因为我的人生不能被别人设定。”

人是一种群居动物，每天都要接触很多对自己有着深远影响的人，如父母、师长、上级，等等。他们的言行和思维或多或少都会影响到你。但是，你的生命，要靠自己来雕琢，来选择，不能让别人来设计。那些人生由别人设计并且照着别人的设定去生活的人，他们的生命注定只能碌碌无为。只有对人生充满幻想的人，才能不断超越自己，达到生命的巅峰。

生活中，很多人羡慕那些衔着金汤勺出生的人，认为他们从一出生就被父母安排好了一切，之后的人生就是按照父母的安排一步步安稳地前进，不用自己拼搏，历经风雨。其实，将自己的人生完全交给别人安排，并不是一件值得他人羡慕的事情。在人生的道路上，没有任何人能够一辈子依靠他人。无论身边的亲朋将你护送多远，最终上路的还是你自己。

那么怎么才能不让“映射”影响你的人生呢？

（1）排除杂念，秉持自己的信念

无论是凡夫俗子还是盖世英雄，总有遭人批评的时候。事实上，一个人越成功，随之而来的非议也会越多。此时，真正勇敢的人就是排除杂念、秉持自己的信念、勇往直前的人。

（2）敢于冒险

作为一名现代人，应该具有随时迎接挑战的心理素质。世界充满了机遇，也充满了风险。想要活出不一样的人生，就必须具备冒险精神。一名哈佛人曾说：“没有什么大不了的，只不过是从头再来。”的确如此，生活中没有那么多值得畏惧、担忧的事情，大不了重新来过。

每个人都要有独特的负责任的人生设计，这不单是个人意志的事情，更是时代前行、种族发展赋予人类的义务。试想，如果所有人都按照父母事先安排好的轨迹生活，那么人类还怎么进步？所以，如果此时此刻，你还活在他人的“映射”中，请及时苏醒吧，将自己的人生好好设计一番。只有这样，才能应对日后的各种变化。

4. 别为了迎合别人，而失去了自己的本色

有时候，为了拥有更融洽的人际关系，我们不得不努力去迎合别人，尽管自己心中满是委屈。为了达到某个目标劳心劳力，甚至产生主宰资源、操控别人的意图，以为这样就可以听从内心的召唤为所欲为，到头来却发现自己过得并不开心。

生活中，每个人都希望人生之路宽阔，却又不知不觉地走入狭窄的小巷。为了迎合他人、跟上潮流，强迫自己按这样的模式去做，强迫自己达到某个特定的标准，乃至每一句话、每一件事都先考虑别人的看法，

这样活着不累才怪。将自己放逐在一条迷失自己的道路上，在行进中渐渐丧失了本属于自身的个性和纯真，最终会失去自我。

事实上，每个人都是独一无二的，害羞、孤独、自卑往往成为意志中的障碍，我们无须按他人的眼光来安排自己的生活，而是要用自己的方式把自己展现出来，活出自己的特色。

加利福尼亚的伊丝·欧蕾太太从小就对害羞非常敏感，她的体重明显超标，加上一张圆圆的脸，看起来就更胖了。妈妈十分守旧，认为无须穿得那么体面漂亮，只要宽松舒适就行了。所以，她一直穿着那些朴素宽松的衣服，从没参加过什么聚会，也从没参与过什么娱乐活动，即使入学以后，也不与其他小孩一起到户外去活动。因为怕羞，甚至一度到了无可救药的程度，她常常觉得自己很另类，不受别人欢迎。

长大以后，伊丝·欧蕾太太结婚了，嫁给了一个比她大好几岁的男人，但她害羞的特点依然如故。丈夫一家人比较传统，甚至有点苛责，带给伊丝·欧蕾很大压力。生活在这样的家庭中，她总想尽力做得像他们一样，但就是做不到，家里人也想帮她从禁闭中解脱开来，但他们善意的行为反而使她更加封闭。她变得紧张易怒，躲开所有的朋友，甚至连听到门铃声都感到害怕。她知道自己是个失败者，但不想让丈夫发现。于是，在公众场合她总是试图表现得十分快活，有时甚至表现得太过头，然而事后又十分沮丧。因此她在生活中失去了快乐，看不到生命的意义，甚至想到了自杀。

后来，伊丝·欧蕾太太并没有自杀，与婆婆的一段偶然谈话改变了她的整个人生。

一天，婆婆谈起自己是如何把几个孩子带大的。她说：“无论发生什么事，我都坚持让他们秉持本色。”“秉持本色”这句话像黑暗中的一道闪光照亮了伊丝·欧蕾太太。她终于从困境中明白过来，原来自己一直在勉强自己去充当一个不大适应的角色。一夜之间，她整个人就发生了改变，开始让自己学会秉持本色，并努力寻找自己的个性，尽力发现自己究竟是一个什么样的人。

从那时候起，伊丝·欧蕾太太开始观察自己的特征，注意自己的外表、风度，挑选适合自己的服饰。她开始结交朋友，加入一些小组的活动，开始表演节目。

每参加一次节目表演，每开一次口，伊丝·欧蕾太太就增加一点勇气。过了一段时间，她的身上终于发生了变化，现在，伊丝·欧蕾太太感到快乐多了，这是她以前做梦也想不到的。后来，伊丝·欧蕾太太又把这个经验告诉了孩子们，这是她经历了多少痛苦才学习到的——无论发生什么事，都要秉持自己的本色！

当生活渐渐成为一种模式，人生成了一条平平淡淡的路，许多人都会渐渐失去美好世界的想象。其实，生活原本就是平平淡淡的，所谓霓虹灯般的光彩夺目不会是生活的主题。这时候，让内心归于平淡，懂得从中品味生命与生活的厚重才会找到真正的自我。

普林斯顿大学的纳什博士就常常鼓励人们要独立思考。人们当时对纳什的评价是："天空都不足以容纳他的独立性。"在这所大学中，学生唯一必须出席的课程是每天下午三点钟的下午茶。他们要在那里进行学术讨论，并通过这样的方法来评价每个学生的能力。其间，经常会发生激烈的学术争论，绝不会有人为了迎合别人而放弃自己的想法。

因为，主动讨好别人的时候，就很容易失去自己。我们花太多时间去迎合别人、取悦别人，潜藏的动机无非是借此获取更多的好处和保障。可是就算我们最终得到了一切，但失去了自己，又有什么意义呢？

人生苦短，何必费力讨好别人？只有不勉强，事后才不会后悔。生活中，与人相处，讨好和隐忍是需要有的，但凡事都有底线，否则会适得其反。一味地讨好并不见得能得到我们原本希望的和谐，凡事要按行为准则和做人原则去把握，重要的是要珍爱自己。生活中太过讨好别人，只会忽略了自己，更容易被别人忽视。

所以，不论对待家人、同事、朋友，还是陌生人，在付出感情或心力之前，都要先斟酌一下：到底是心甘情愿去做的，还是被迫勉强的？日后想起来会不会后悔？想清楚了，再行动。只有自己真心乐意，别人才能受之无愧。如果发现自己并非出自真心，能付出的很有限，也不必强己所难去迎合别人，失去自己本色。

人，首先应该为自己活着，才谈得上与别人相融洽，只有把生活重心从“讨好别人”那里转移到自己身上来，才是正常的生活状态。唯有做自己的主人，主宰自己的生活，掌握自己的命运，方能还自己一个快乐逍遥的自由身。须知，每个人在这个世界上都是唯一的，没有任何人能够替代我们自己的思想和行为，更没有人可以独揽我们的生活。我的生活我做主，是每个人应有的人生哲学。

事实上，别人的建议固然很重要，但绝对不可照单全收，更不能让这些建议左右自己的思想。在决策关头，还需自己拿主意，如果仅仅为了迎合别人的心意，而失去自己的主见和本色，结果只会把事情弄糟，也就失去了你本来的生活乐趣，最终把自己搞得身心疲惫。

“活在自己的世界里，而不是活在别人的眼睛里”，无论身处何处，我们都要记住：我就是我，是一个独一无二的人。因此，不要在乎别人怎么看怎么说，只有守住自我、守住本性，才能够活得精彩、活得自在，才能保持自己独特的美丽不会变质。有了这种心境，就会活得很轻松，很快乐。